U0114553

國民小學圖書館利用教育與輔導

蘇 國 榮 著

臺灣 學生書局 印行

陳　序

　　人類最寶貴的資源是兒童，兒童教育的推展，正是建構未來社會的重要工作。因應於未來社會變遷的趨勢，諸如：未來意識的滋長、多元價值的決斷、知識資源的爆增等等特性，培養兒童應變的知能，成為現今兒童教育的首要目標。為達成這樣的目標，我們必需提供更具彈性的教育制度，或在課程與教材方面提供給兒童能有應變準備的「教育財」，如此才能符合未來需要，也是目前兒童教育應面對的課題。

　　從上述這個角度來觀察蘇國榮先生所撰《國民小學圖書館利用教育與輔導》一書，其精義正是培養兒童應變知能，適應個別差異的良好教育途徑與方式。從書中可知，圖書館利用教育不僅可為教學活動注入生命，拓展兒童學習領域，更能培養兒童的自學能力。各國小如能落實圖書館的利用教育，以培養學生善用各項資料，具有主動性的學習能力，使兒童有一不虞匱乏的學習來源，更是達成「終身學習」的重要方法，足見圖書館利用教育的重要性。

　　蘇先生任教本校初等教育學系多年，並在本校圖書館閱覽組服務多年，嫻熟館務工作。其以理論與實務經驗相互參證，加上能近譬的生動解說，論述圖書館利用教育的各層面相，為落實國小圖書館利用教育，提供了詳盡而豐富的資料，實深具價值。更

難能可貴的是，隨著科技進步，圖書館自動化的點滴實務，有效而便利的資訊讀取，本書都能佐以實際的學校施行樣參，如清江國小開發的圖書館作業系統、師院的資訊站等詳加解說，並實際發掘現存於國小圖書館的諸多困境，以提供未來發展的有效建言等。札實之論，懇切之詞言，更是本書的特色所在。

　　時值此書出版在即，爰綴數語以茲祝賀，並期勉能對國小教育的開創與提昇，有所助益。

陳伯璋　謹識

中華民國八十五年七月

自　序

　　過去大家慣於使用『填鴨(壓)式』的教學來責怪教師的教學方法不佳，教學效果不彰，而謂應以『啓發式』教學方能彰顯教學效果，但是，當我們問及何謂『啓發式教學』時，卻難以得到確切的答案，令一群從事教學工作者無所適從，只好自尋佳徑，以滿足家長的要求，亦爲自己的工作突破瓶頸。

　　然而，何謂『啓發式教學』(Developing mode of teaching)？教師要如何『啓』學生才能『發』呢？依個人淺見，所謂『啓』者，即爲『引導』也，就像史書所說大禹『導河入海』（史記卷二十九河渠書第七）一樣，先觀察地形，依勢鑿渠導水，引之入海，水依勢而流必然舒暢，何患之有？學習亦同，首先瞭解個別差異，據其學習起點，引導其思考，啓迪其理解，引發學習興趣，提供正確學習方法，給予適當鼓勵，建立其信心，學習障礙無形中自行排除，如能師生共建合理目標，再予分階學習，此種無障礙的有效學習，必然快樂，人在快樂的情境下學習，效果必佳，成效必彰顯。

　　個人自民國六十一年起正式投身於圖書館教育以來，因見圖書館利用教育對學子之學習研究有極大之影響，乃朝此方向著手，在國小多年的服務中，深深體會小朋友之可塑性極大，如能於國小時即予圖書館利用教育的訓練，可將其所得運用於國中、高中、

大學、研究所，甚至終生，教育先進有見於此，已在民國八十二年九月公佈的國民小學國語課程標準（民國八十五年八月實施）的總目標第五項中清楚明白的說道：『具有認識常用標準國字，閱讀書報及欣賞文學的興趣和能力，並能利用圖書館以幫助學習』，在分段目標中，中低年級分別以使用、認識字、詞典等工具書為主，高年級則進入利用圖書館查詢資料，增進閱讀，欣賞及自學的興趣和能力，同時在教材綱要中也明列工具書的認識與使用，且於課外閱讀教材綱要中明列圖書館利用，所以，國小退休而至師院任教之時，即投身於此，經多年試驗、評估，仍認確屬可行，特將此過程行之於文，以為投石問路，亦期能為國民小學圖書館教育略盡綿薄之力，更祈有志之同道，共創未來。

本書依序分章敘述，首章為緒論，敘撰述緣由與國小圖書館利用教育之重要性，次章論指導國小學生利用圖書資料的方法，參章則以落實國小圖書館利用教育為論述在國小之實施策略，肆章從國小圖書館之規劃與建築來說明人員資料和館舍之規劃與訓練，第伍章以清江圖書作業系統論國小自動化之施行，第陸章則專論國小圖書館之靈魂『圖書教師』，第柒章談師院圖書館如何輔導國小圖書館使業務正常化，第捌章作一結論並提若干建議。

自國小退休移至後山迴瀾，轉眼近十載，適逢良師益友，日日切磋，且於融洽氣氛中作息，長官之器重，同仁之禮讓，各國小前輩之點津，方使此一試驗得以順利進行，銘之五內，花蓮師範學院校長陳伯璋博士更於日理萬機，公務繁忙之際為本書作序嘉勉，除為本書增輝並銘記嘉言時時惕厲之外，當倣其提攜後進、鼓勵後學之用心。

　　筆者陋居東僻之鄉，雖東臨太平洋畔，有輕風徐波之涵，西倚中央峻嶺，翠繞珠圍之蔭，而育心淨之功，然時空兩隔，音訊漸失，恐有閉門造車之慮，凡思緒不密，錯誤遺珠之處，敬祈先進賢達，惠賜點津，將銘五內，再版之期，必予匡正。

　　　　蘇國榮　民國八十五年仲夏於花師石渠閣

國民小學圖書館利用教育與輔導

目　　次

第壹章　緒　　論

第一節　導　　言

　　台北市國民教育輔導團國中圖書館輔導小組於民國七十四年舉辦一次台北市國中學生對圖書館（室）的認識調查研究指出，『經常到圖書館的同學僅十分之一，偶爾去的有三分之二，未曾去的也有百分之分二十❶，同時半數以上(64.9％)❷的同學到圖書館的目的在借還書與看書報，僅十分之一強(14％)❸的同學是爲找資料而去的』。輔仁大學圖書館學會在民國七十一年所作『輔仁大學學生利用圖書館狀況調查』指出，有15.61％❹的同學在小學開始利用圖書館，有72.41％❺的同學不會使用百科全書。花蓮師範學院圖書館更於民國七十七年作了『台灣省立師範學院圖書館管理服務專題研究』中稱：『過去國中、高中並沒有這(圖書館利用)方面的指導，致使學生們進了師院(師專)，仍然對如何利用圖書館感到陌生，故在問卷調查中反應對圖書館利用知識的迫切需要(96.63％)❻，而師院教師們93.33％認爲圖書館利用對學生之學習有正面的幫助❼。從上述幾則數據可以明瞭，絕大多數的學生對圖書資料是不懂得運用，僅把圖書館當作讀書館，對圖書館利用是那麼的陌生，也知道同學對圖書館利用的需求又是那麼的殷切，詳查他的根由，『升學主義』『文憑第一』

的氣氛迷漫整個社會，『蔣光超』(講光抄)的上課形態與『貝多芬』(背多分)的讀書方法充滿校園，所以，教師期盼學生獲得更多，恨不得傾囊相授，在講台上拼命的講，在黑板上拼命的抄，學生則在視課堂上抄黑板所得的為秘笈，為想得高分，就死命的背，圖書館是他讀書抄筆記的地方，參考書視為閒書。

然而，世局急劇的變化，科技新知日新月異，競爭更是分秒之差，在此知識爆炸的今天，精密分工的局勢，『蔣光超』的上課形態與『貝多芬』的讀書方法已無法應付，取而代之的是蒐集、分析、觀察、實驗，然而，當學生走入圖書館，茫茫然，如入瀚海，頓失方向，雖用盡力氣，巡遍全館，仍未能找到資料時，那種『挫折感』，可能影響他的研究或學習，只因它從小未曾接受『圖書館利用教育』，也因過去學校教育中未將『圖書館利用教育』納入正式課程，而影響學術研究的深度與速度。

今天，號稱『知識爆炸』的時代，知識、技能、資料有如洪流、潮水般湧來，雖有成千上萬的各類科專家、學者與圖書館員，日以繼夜的埋首分析整理，節省我們閱讀與蒐集的時間，但是，其資料量仍然太大，因此，如何在這浩瀚的資料中，擷取有用的資料，用以開創社會的美景，成為當今首要之課題。筆者忝為國小圖書館利用教育推展的一員，積數年實務與教學之經驗，深覺技能的學習越早越有成效，尤其是擷取知識的工具——圖書館利用，倘能自國民小學即開始學習而獲此知能，那麼，在國中、高中、大學、研究所甚至終身教育的學習過程中都可運用，因此，潛心研究，提出可行之策略，供國小與師院的教師及教育行政機關參考，也祈盼方家先進惠賜指導。

　　鑒於目前多數的大學生、中學生與小學生對圖書館利用知能的欠缺與貧乏，本研究著重在國民小學圖書館利用教育之實施，而實施較完善之國小圖書館利用教育必先規劃完善的國小圖書館，與培育從事圖書館利用教育之圖書教師，而後始論及指導方法，並以圖書館活動配合教學以達寓教學於活動中，廣收圖書館利用之效，又恐國小行有餘而力不足，更提出師院圖書館輔導的策略，以使功能充分發揮。

第二節　國小圖書館與圖書館利用教育

一、國民小學圖書館的意義與功能

　　國民小學圖書館係指設在國民小學而由該國小經營之圖書館，其主要任務為提供該校學童與教職員工之使用，必要時也提供家長與社區民眾使用，同時發揮輔助學習與支援教學之功能，在圖書館教育較發達的美國，則分別以學校媒體中心（School Media Center）、教學資料中心（Resources And Teaching Center）、教學媒體中心（Instructional Media Center）、學習資源中心（Learning Resources Center）等各辭出現，因此，我們認為國民小學圖書館具有下列功能：

　　㈠配合教師教學與輔助學生學習

　　㈡提供輔助教材與媒體，協助教師教學，以期生動教學，提升教學效果，使學生獲更好的學習。

　　㈢提供優良課外讀物，拓展學童學習領域，並視實際需要，

提供個別自我學習或研究之系列指導。

㈣未來中學、大學圖書館與公共圖書館優良讀者的培養所。

國小圖書館的服務已由過去的消極等待而變爲現在的積極推介，並已直接參與各個學生的培養和發展工作，在現代國小教育計劃中，國小圖書館的工作，實際上已超過以往支援教學的服務機構，圖書教師在積極的服務方面已有下列功能：

㈠圖書資料的諮詢者

㈡休閒生活的鼓勵者

㈢訓練學生利用圖書館及一切資料

㈣指導學生作休閒與求知的閱讀

㈤啓發各個人的天才興趣與靈感

㈥協助教師推行教學計劃

㈦輔助教師在職進修

茲就相關文獻中列舉其對國民小學圖書館之意義與功能之解說，以爲說明：

㈠我國圖書館法草案第五條

圖書館依其設立之宗旨分爲左列五大類：國家圖書館、公共圖書館、大專院校圖書館、中小學圖書館、專門圖書館，更於第十二條規定：中小學應設立圖書館，並以本校師生爲服務對象，支援教學，輔導學生利用圖書館。

㈡日本學校圖書館法第二條

學校圖書館法係指小學、中學、高中圖書館，旨在收集、整理、保存圖書、視聽覺資料及其他教學相關媒體，提供師生利用，藉以協助學校教育課程之實施，培養健全品德的中小學生爲目的而

設置的學校設備。

㈢林美和教授在其小學圖書館的管理與利用一書中指出：『學校圖書館是學校教學單位之一，它負有支援、充實與實現教育計劃之責，須蒐集並統整使用設備，積極主動的提供資料，兼有資源中心、學習中心、教學中心、服務中心、閱讀中心。』❽

二、圖書館利用教育的意義與重要性

圖書館利用教育（Library Instruction）也可以說是利用圖書館資源的一種學習活動，誠如吳瑠璃教授所說：『圖書館利用教育是指導學生利用圖書館的各種活動，一般而言，包括認識圖書館環境的活動（Library Orientation），教導利用圖書館（Instruction in the User of Library），以及書目指導（Bibliography Instruction）』❾。盧荷生教授更清楚的指出：『圖書館利用教育是對讀者的一種訓練，訓練讀者，讓他們熟習圖書館的各種設施，讓他們瞭解圖書館豐富的資源，讓他們知道如何透過服務項目，得到自己所需的資料……總之，讓圖書館成為每一個人的書城。』❿吳明德教授也作如下的詮釋：『圖書館利用指導，係指教導學生認識圖書館服務、人員、館藏所在，以及瞭解利用參考工具以完成有效的圖書館查尋（Library Search）的一項活動』⓫。

過去我國升學主義盛行的情況下，中小學為要達到升學的目的，背誦、強記（記憶）與熟練成為學生學習的法寶，教師又以講述與抄黑板或發講義為主要教學方式，學生失去了自我學習的機會，近年來，自國外引進了許多新的教學法，問題法、討論法

以及各種觀察、訪問、試驗……等等，由於要發問題，找答案，討論要發言，提出各種實驗報告，因此，教科書、筆記或講義已經無法滿足學習上的要求，因此，傅寶真教授指出『圖書館利用』在啓發式教學法中佔相當的比重，教師在教學時更應與圖書館員相互配合，方能相輔相成❷，林美和教授在兒童圖書館研討會中發表的『兒童圖書館的利用教育』論文中也強調：『圖書館的利用教育在於使學生具有獨立學習與研究能力』❸。然而，在圖書館利用教育研討會上，大學教授責怪中學未施行圖書館利用教育，而使大學生不知參考用書爲何物？遑論參考工具的利用❹，中學教師也說小學無圖書館利用課程，而學生也不知道如何讀一本書，又怎曉得圖書館是甚麼？

　　追根究底，圖書館利用教育對教師的教學與學生的學習是極其需要的，它不但注入教學的生命，拓展學習領域，更培養自學能力，因此，林美和教授認爲：『圖書館的利用教育的實施方式以列入基本課程爲首，其次爲排定圖書館時間，或邀請圖書館館員蒞臨教室解說』❺。而高錦雪教授認爲：『圖書館活動與教學配合爲利用教育主幹』❻。

　　張連滿在『論小學圖書館利用教育─兼談美國肯薩斯州恩波里爾市隆根小學的圖書館利用教育』❼中認爲：

　　㈠國小專任圖書教師應正式納入編制俾圖書館利用教育更爲落實。

　　㈡培育國小師資的師院應把『圖書館利用教育』列入課程，以正式培養圖書教師，發展小學圖書館利用教育。

　　㈢撰寫小學圖書館利用教材，供教學之需。

㈣改革教學法，引導獨立研究與終生學習。

㈤充實國小圖書設備，使圖書館成爲教學資源中心。

㈥成立圖書館輔導小組，積極輔導國小圖書館教育之發展。

傅寶眞在『發展圖書館利用教育的因素分析』[18]中認爲：

㈠由文化的演進與社會變遷促使圖書館員成爲讀者與讀物之間的橋樑。

㈡『圖書館利用』在啓發式教學法中佔相當的比重，教師在教學時更應與圖書館員相互配合，方能相輔相成。

㈢各大學非圖書館科系開授『圖書館利用』課程，學習如何蒐集資料，以發展研究潛能，這一趨勢隨知識傳播方式的改變與資料質量的俱增而普遍被接受。

楊乾隆在其碩士論文：「台北市立高中學生對學校圖書館之態度及相關因素之研究」[19]中認爲現代學校圖書館設立的目的針對學校、教師、學生之需求，爲滿足其需求，除具備一般圖書館功能外，應發揮下列幾項功能：

㈠主動提供教學服務以提昇教學品質：幫助學生與教師蒐集有關教學媒體資料，以做好教學準備；配合教學計劃與進度，充實教學內容；豐富館藏，提供良好服務，便利教師進修。

㈡指導學生利用圖書館，培養自學能力：實施圖書館利用教育，指導學生熟悉圖書館利用方法，增進利用圖書館能力。

㈢訓練學生獨立研究與解答疑難：編製與課程有關之參考工具書，如索引、書目、書評、摘要、剪輯……，並提供參考服務，解答各種疑難。

㈣製造讀書環境，培養讀書風氣：規劃佈置良好環境，推展
　　圖書館活動，以培養讀書風氣。

　　教師教導方式的或教學策略較爲活潑生動而富創造姓，且經
常利用圖書館館藏資源輔助教學，則學生對圖書館功能之瞭解較
爲透澈，利用圖書館的態度也較積極。❷

　　傅寶眞在『我國圖書館利用教育所面臨的問題與應採取之途
徑』❷中認爲：

　　我國學生在中學(小學也一樣)時代未奠定良好的圖書館利用
基礎。

　　黃莉玲在『台北市國民小學圖書館工作人員工作態度調查研
究』❷一文鄭重向教育部提出如下建議：

㈠明訂國民小學圖書館專業人員之職掌與任用資格。

㈡於師院初等教育學系設置圖書館教育組。

㈢訂定在職訓練與繼續教育計劃。

Hyland, Anne H.在『Recent Directions in Educating
　　the Library User:Elementary School』❷指出：

㈠由教師與圖書館員相互溝通，共同參與圖書館利用教育計
　　劃。

㈡教師將『圖書館利用教育』技能溶入各科教學與家庭作業
　　中，效果尤佳。

　　吳明德在『談大學圖書館的利用指導』❷中指出：

㈠有效的圖書館利用指導在於啓發學生學習動機。

㈡教授與館員充分配合，並建立合諧友善關係。

㈢指導方法：配合相關課程設置正式課程水道式教學（自學

法）

㈣指導利用教育最佳時機是『教授指定作業或學期報告前二、三
　星期』。而指導內容不宜太偏重形式，應培養學生如何分
　析自己的問題與查尋策略。

高錦雪在兒童圖書館研討會發表的『淺談兒童圖書館的利用
教育』㉕論文中特別強調『人』與『觀念』爲圖書館利用教育的
先決條件，圖書館活動與教學配合爲利用教育主幹。

林美和在兒童圖書館研討會發表的『兒童圖書館的利用教育』㉖
論文指出：

㈠圖書館的利用教育在於使學生具有獨立學習與研究能力。

㈡圖書館的利用教育的實施方式以列入基本課程爲首，其次
　爲排定『圖書館時間』，或邀請圖書館館員蒞臨教室解說。

㈢圖書館的利用教育的內容以：認識圖書館環境，社會學習，圖
　書結構，卡片與非書資料的認識，分類與排架，參考書的
　認識，圖書的流通，與讀書報告的撰寫和社會資源的認識
　與利用。

輔仁大學圖書館學會在『輔仁大學學生利用圖書館狀況調查
報告』㉗中認爲：

㈠利用圖書館的情形：59％的學生不會利用目錄卡片找書，
　僅23％學生利用參考諮詢服務，工具書的利用也僅23％而
　已。

㈡三分之二的同學偶爾瀏覽新書介紹與新書目錄，57％的同
　學認爲開授圖書館利用方面課程有需要，而最歡迎專人解
　說方式解說圖書館。

　　吳茜茵在『我國師專學生利用圖書館狀況調查』❷一文中指出：

㈠學生到圖書館的主要目的是借還書與閱讀報章雜誌，對利用參考資料有待加強。

㈡有開授『如何利用圖書館』課程的需要與必要。

註　釋

❶　詳台北市國民教育輔導團國中圖書館輔導小組編著，台北市國中學生對圖書館(室)的認識調查研究，台北市教育局，民74頁56～59。

❷　詳同❶。

❸　詳同❶，頁49。

❹　詳輔仁大學圖書館學會編，輔仁大學學生利用圖書館狀況調查報告，民71，頁16。

❺　詳同❺，頁35。

❻　詳台灣省教育廳委託，花蓮師範學院研究，台灣省立師範學院圖書館管理服務專題研究，台灣省教育廳，民77，頁80。

❼　詳同❻。

❽　林美和著：小學圖書館的管理與利用（台北市，教育局，民70），頁127。

❾　吳瑠璃撰，我國大學圖書館利用教育施行狀況調查研究，社教系刊第十一期，頁71－76，民72.6。

❿　詳盧荷生撰，漫談圖書館利用教育，台北市立圖書館館訊，2卷2期，民73.1 2。

⓫　　詳吳明德，談大學圖書的利用指導，中國圖書館學會會報第三六期頁117－126民73.12。

⓬　　傅寶真，發展圖書館利用教育的因素分析，中國圖書館學會會報第四四期，頁151－164，民78.12。

⓭ 林美和，『兒童圖書館的利用教育』，兒童圖書館研討會論文，民72,05。

⓮ 輔仁大學圖書館學會在『輔仁大學學生利用圖書館狀況調查報告』中指出：利用圖書館的情形：59%的學生不會利用目錄卡找書，僅23%學生利用參考諮詢服務，工具書的利用也僅23%而已。

⓯ 同⓭。

⓰ 詳高錦雪撰，淺談兒童圖書館的利用教育，兒童圖書館研討會論文，民72.0 5。

⓱ 張連滿，論小學圖書館利用教育─兼談美國肯薩斯州恩波里爾市隆根小學的圖書館利用教育，台東師院學報第三，期406～456。

⓲ 傅寶眞，發展圖書館利用教育的因素分析，中國圖書館學會會報第四四期，頁151～164，民78.1。

⓳ 楊乾隆，台北市公立高中學生對學校圖書館之態度及相關因素之研究，台北市，撰者，台灣師大社教研究所碩士論文，民77年，151pp。

⓴ 同註⓳。

㉑ 傅寶眞，我國圖書館利用教育所面臨的問題與應採取之途徑，中國圖書館學會會報第四十期53～65，民76.12

㉒ 黃莉玲，台北市國民小學圖書館工作人員工作態度調查研究，國立台灣大學圖書館學研究所碩士論文，民76。

㉓ Hyland, Anne H.原著；劉春銀譯，(Recent Directions in Educating the Library User:Elementary School)小學圖書館利用教育之最新導向，中國圖書館學會會報第三九期189～200，民75.12。

㉔ 吳明德，談大學圖書館的利用指導，中國圖書館學會會報第三六期117～126，民73.12。

㉕ 高錦雪，淺談兒童圖書館的利用教育，兒童圖書館研討會實錄 105～113，民72.05。

㉖ 林美和，兒童圖書館的利用教育，兒童圖書館研討會實錄，頁95～105，民72.05

㉗ 輔仁大學圖書館學會，輔仁大學學生利用圖書館狀況調查報告，民70.

06。

㉘　吳茜茵，我國師專學生利用圖書館狀況調查　台北師專學報第八期55～
166，民68。

第貳章　指導國小學生利用圖書資料的方法

第一節　國小圖書館利用教育的重要性

一、資料利用與聯考

　　『升學掛帥』的今天，如何贏取高分，可能是您我追求的目標，『找資料』對考高分有效嗎？這是一個有趣的問題，它對小朋友是否需要？我給您的答案是『肯定』的。

　　如果您的孩子每天回家只是背課文，抄課文，演計算題，就算他弄得滾瓜爛熟，他是否真的消化，還是硬吞下去，也算他消化了，他所知也只是在教科書的圈圈之內，您說對嗎？出了這圈子，他可能摸不著邊了，若是他具備『找資料』的本領，將與課文內容相關的資料找來參考，是否可以把這部份『知識』明瞭得更深更廣，如果您的答案是肯定的，那麼，既然『明瞭得更深更廣』，怎不能『贏取高分』呢？同時，『找資料』是很刺激的，對孩子來說是一種『挑戰』，非常有趣，有欲罷不能之勢，因而可以提高其學習興趣，當然可提高學習效果，所以，小朋友有這『需要』，而且不可或缺，否則，在資訊爆炸時代的今天，您的孩子永遠追不上別人。

　　舉個例來說，如果您的孩子平常看了許多傳記資料，那麼在作文或申論題的寫作時，只要舉出『古』、『今』、『中』、『外』四位名人來佐證，他的論點必能屹立不動，評分的老師們也會因見這四位名人的傳記而知這位學生平日廣涉詩書，基於對好學者的鼓勵，必多『加幾分』，無形中就領先了別人，您認為有可能嗎？

二、增強語文能力

　　過去，國文老師常常教導我們，要想文章作得好，一定要多看、多讀、多寫，但是，卻很少告訴我們應該『看那些書』？『讀那種書』？『怎麼寫』？因此，無頭蒼蠅似的碰到就看，拿到就讀，運氣好時，獲益匪淺，時運不濟時，可浪費時間與精神，甚至得了反效果來（看了不良書刊，本身定力不足，豈不戕害身心嗎）。

　　圖書教師身受教育專業與圖書館專業之雙重訓練，對於圖書讀物之選擇有其一定的準則，因此，依其專業之素養，以學生所習語彙與辭彙之程度，開具系列進階式書目，為學生閱讀，因其適合其社會經驗，習於言辭，毫無阻力，又為進階性讀物，這種無壓力與阻力的學習，效果必彰，對學生的閱讀興趣必然升高，無形中語文能力逐漸提升，若再輔以圖書館活動之推展，如填字比賽、連辭比賽、看圖作文比賽、心得寫作比賽、論文習作比賽、專題研究比賽……非但可以提昇學生的語文能力，進而帶動整個校園的讀書研究風氣，播下未來學術研究的種子，略加灌溉，開花結果之期，指日可待。

三、所有的問題，用『一個答案』就可以解答

　　您我都知道，兒童期的孩子最喜歡發問，也許他渴望得到答案，也許他只是隨便問問而已，無論是身邊的事物或人或是想像世界的所有，都是他發問的範圍，例如一位常跟我們散步的兩歲半小男孩，當我們在散步時，他指著路邊停放的各種轎車，一口氣問了三十幾次『這是什麼車』？您是否應該給他回答？要怎樣回答（我是一一給他回答，告訴他是小轎車、小貨車，雖然一直是重復的問，我也重復的答，過些時，我發現他又開始問時，我先回答他後立即反問他，由他來回答，讓他有獲成就感的機會，當他把小客車與小貨車和大卡車都分辨清楚後，再以廠牌回答，就這樣不厭其煩的重復著，一兩個月後，令您驚奇的是他居然能把路邊停放的各型車輛如數家珍的叫出其廠牌名稱來），處處都得先考慮再三，粗心不得，當一位老師或父母的您，可別粗心大意隨便應付就算了，因為您的一個答案，可能是他日後成功的基礎，也可能因您的一句話，抹殺了他學習的勇氣，過去我常說：『對小朋友的發問要妥善的處理，也許未來的諾貝爾獎得主就是您的一句話而誕生，也可能因您的一生氣，殺了一位諾貝爾獎得主』，也許您要問：小朋友的問題是如此的廣泛，資料又那麼多，我怎能備妥來應付這些小朋友的問題呢？我給您一個建議，『所有的問題用一個答案就可以解答』，那就是『我們一起到圖書館找找看，誰先找到？』這是萬靈丹，您信嗎？（但是，千萬不能說『您去圖書館找找看』，這就不靈了，因為他可能會這樣想「為甚麼要我去找而您不去，一定是找不到的」，因而產生了反作用，根本就

不找了，答案何處來？）請試試。就這樣，不就把一個『燙手的山芋』從您的手中拋出，而且把小朋友引進了圖書館，同時也把他帶入學術殿堂的門檻。

第二節　如何指導國小學生認識參考書

一、甚麼是『參考工具書』？

大多數的人稱它為參考書，也有人稱它為工具書，這些書蒐集的內容較為廣博，有一定又特別的編排體例，以便於讀者查檢，通常只供查檢之用，不需從頭到尾閱讀，簡單的說，它具有下列特色：

(一)蒐集資料

因參考工具書內容廣泛，擷取各書之要項或將之改寫，常成資料蒐集之主要線索，如書目、索引與摘要，旨在指引讀者蒐集資料之路，我國的類書，為集古文獻之大成，為資料編纂與查考歷代文獻之瑰寶。

(二)解答疑難

讀書做學問難免遇到疑困，大家都知道，書本可以找到解答，然而書海茫茫何處尋？因此，參考工具書就是解決問題的大恩人，尤其是字辭典、百科全書、類書等，幫助最大。

(三)特殊體例

一般書為了閱讀體系之完整，撰寫時都循思想體系，參考工具書則為了查檢方便以字順、音順或筆畫數為序，有其特殊之體

例排列，如字辭典、百科全書、類書、書目、索引摘要等，條目井然。

（四）局部閱讀

一般書為了閱讀後獲得較完整之知識，大都需從頭至尾閱讀，參考工具書是解答疑難的，所以，只要查檢書中有關部份把疑難解開即可，無需從頭至尾閱讀。

（五）持續修訂

參考工具書雖然內容廣博，卻因時間與空間或人物的變動而有很大的改變，為期資料的完整與新穎，必須定期修訂或增加補編。

二、指導國小學生認識參考工具書

（一）認識參考書

引導小朋友認識參考書最好的方法莫過於舉辦『參考書展示說明會』，利用這一機會把館藏『參考書』陳列一處，介紹給小朋友，也介紹給老師，同時，對參考書的內容、性質、編排與使用方法和時機給予扼要的說明，若沒有集中的時間解說，亦可以答客問方式給予解答，效果亦佳。

（二）對於『書評』、『書介』廣為蒐集、剪輯

『書評』與『書介』對一書之特色，尤其內容均有扼要的介紹與評論，可據此瞭解該書，對於簡介參考書之論著尤應蒐集；因為可幫助瞭解其內容與特性，因而獲得解答的線索，提供教學參考。

（三）講解尋找答案的策略

問題出現了，那些參考書能提供解答或線索？這是非常重要的問題，也影響獲得答案的時間與準確性，因此，對問題的界定很重要，正如生病找醫生診治一樣，看錯科別，可能耽誤病情，所以，應指導對各種參考書的主要內容與編輯重點，資料範圍和使用對象與時機，都應有所瞭解，否則，有如大海撈針，浪費時間又毫無效果，太多的挫折，會減低學生的學習興趣。

㈣製作錄影帶幻燈片介紹參考書

小朋友對於『有聲音』、『有彩色』的『動畫』特別感興趣，所以，您可就學校館藏之各種參考書，將其封面、書名頁、各種檢索索引（如部首索引、筆畫索引、注音符號索引……）、書脊、內容……各拍幾張幻燈片，再轉換為錄影帶，使用就方便了。

如果您願意花點時間與精神，以少許的經費，可一勞永逸，您試試，借一照相機，到照相館買幾卷『幻燈片』用的膠卷，裝入相機，帶到學校圖書館，拿幾張包裝紙或舊報紙（女士用的絲巾也可以），搓揉幾下，攤開備用，把字詞典、百科全書、傳記、索引、摘要、類書、地理資料……都搬來，每一本外形照三兩張，書名頁照一張，查檢用的部首、注音、筆順、難檢字等索引，各照一張，並舉一例，在查檢索引（特別標出）與內容處各拍一張，請注意，為了美感，把搓揉過的包裝紙或舊報紙（絲巾）當作背景襯托，將書置於其上，補足燈光，照起來會較理想，所有的參考書都拍照完了，把全部的底片往照相館一送就好了。就這樣，一卷底片加上沖洗費用也只有二三百元而已，為了提高教學效果，學校會捨不得這區區幾百元嗎？若真的碰到這樣難纏的行政主管，為了教學時自己可以較輕鬆一下，少看一兩場電影，也是夠本的。

　　三五天後，照相館不但把它沖好，而且裝上了片夾，依序排好，取回來後仔細檢查，是否有漏拍的，因焦距沒調好或光線不良而模糊看不清的，舉例不宜的，這些，該補的就補，該重拍的就重拍，待全都到齊了，放入片盒，仔細複查一次，妥當了就準備『如何來介紹它』了。

　　對於這些字詞典等等參考資料也許我們了解不夠，介紹起來也許有困難，甚致有些自己也沒用過，怎能介紹？請您準備幾本『參考書指南』❶，看看這些書上怎麼介紹，再看看這些字詞典等參考資料最前面的『凡例』及『使用說明』，加以消化就差不多了。

　　請注意，對於各種資料的特色，一定不能忘記，例如：

　　1.商務出版的『重編國語辭典』是依注音符號順序排列的，收錄的辭不少，但是，人名與地名卻很少收錄，因此，要查人名與地名就只好另謀他途了。

　　2.正中出版的『正中形音義大字典』是查字的形音義，辭或成語只好查其他的辭典或百科全書了。

　　3.如介紹『索引』『摘要』時一定要說明其範圍，如起迄年月，學科界限等。

　　至於每一種資料必需介紹其用法（查檢方略），編排方式，資料範圍（內容），使用時機，最好舉小朋友常見的例子來示範，最容易了解，同時，給一作業現場操作，印象最為深刻。若能照標準做法先寫好『腳本』最好，否則，起碼也要打張稿，講起來會順利些。

　　假如貴校的幻燈機有『同步』裝置，那麼，您可備妥錄音帶

一捲，當您在第一個班級講解時，錄音機與麥克風同時打開，當您換片時，也把『同步』訊號打入，在第二個班級介紹時，就可全自動的進行，您若有電視攝影機，您也可把它拍成『錄影帶』❷，這樣就可用播放錄影帶來教學，免得因放映幻燈片而拉上布幕影響空氣的清新。

第三節　資料的蒐集與整理

一、蒐集資料的途經

資料的生產如雨後春筍，小朋友的生活體驗卻十分缺乏，要他『找資料』，豈不摧殘民族幼苗嗎？假如沒有給予適當的引導，實在非常困難，所以『圖書館利用』的指導刻不容緩，對於『找資料的途徑』個人認為有下列幾種方式提供各位參考：

(一)熟悉參考書的內容與用法

對於本校圖書館所有的參考書經常翻檢運用，久而久之，熟能生巧，找起資料來必能得心應手。

(二)電話查詢

大家都知道火警、盜警、求救可撥之『119或110』的急用電話，卻很少人知道『精神糧食』告急時亦可撥電話求救，各圖書館的諮詢服務電話就是您的求救電話，換句話說，您有任何疑難雜症都可找圖書館幫忙，所以，資料找不到了當然可以請圖書館協助，請教相關單位也可以，例如：想知有關『地震』的資料或知識，除了找圖書館外，最好請教『氣象局』或『氣象台』，當

然，向專家請教更爲上策。

(三)館際互借

　　每一圖書館都無法典藏所有的資料，以服務讀者，而每一讀者又因研究與熱愛領域的不同，資料的差異性就更大了，更增圖書館蒐集的困難，所以，近年來圖書館界爲服務讀者更週全起見，一方面發展自身館藏特色，以提高服務品質，另一方面更聯合各館，組成各種合作組織，館際互借就是其中之一，本館所藏資料無法滿足讀者需求時，商得友館支援，藉以滿足讀者，增進圖書館的利用，所以，當您在館內查不到所要的資料時，不要放棄，請轉向館際互借方向一樣可以獲得解答。

(四)書函索取或請教

　　當學校圖書館本身資料有限，未能充分供應時，只好求之於館外了，友館（包括公共圖書館、學術或專門圖書館）是第一尋求的對象，其次就要找尋對這一問題有研究的專家，要取得資料可經『書函』的請教或索取，別忘了，收到資料後要寫『謝函』表『謝意』，一方面是禮貌，一方面也爲下回要請教時鋪路。

(五)親往訪問與拜訪請教

　　如果書面資料未能充分瞭解時，必需親訪專家，這時請注意，必需事先約好時間，以便對方妥於安排，同時也要準時前往，以免耽誤別人的時間，更重要的是要把想要請教的問題事先擬好，筆和筆記本準備妥當，如要用錄音，必先徵得對方的同意，這樣進行會順利些，不會引起不必要的誤會。

二、整理資料的方法

『找到的資料』要如何整理呢？我推荐下面幾種方法：

(一)影印資料

一般人以爲只花幾塊錢影印的資料，使用過了往字紙蔞一扔不就解決了嗎？不。雖然每次只花幾塊錢來影印，經年累月也是一個不小的數目，何況查檢資料是費盡心血的，如果您丟了，下次要用時不是又要重新找一次嗎？所以，最好每一篇自成一體先裝訂起來，經一些時日，將累積的資料分類放置，然後就將同類的裝訂一塊，累積到一定厚度時，您可用較厚之書面紙或卡紙做一封面，在書脊處以類爲名取一書名，這樣，日後取用非常方便。若爲日後引用方便，應指導小朋友影印後一定要將資料的出處記於影印資料之明顯處，方不致於不知此資料來自何方？

(二)製成卡片便於保存與利用

經過千辛萬苦蒐集來的資料，如果不加以整理，如同廢紙無法利用，反成累贅，應予分類整理，且每一資料置一卡片，能予編號（分類號）最好，利用起來就方便了。卡片的寫法要注意下列各點：

1. 一資料一卡片，最好單面書寫，以備新資料可補入。
2. 書目資料要完整，如著者，資料名稱（書名或篇名），出版卷期，出版年月（如爲報紙則要注明年月日），頁次（如爲報紙則要注明版次）等，這樣，要查證起來就方便多了，日後應用時，要註出處也輕鬆多了。

3. 如以集體蒐集方式進行，則需加註蒐集者姓名與蒐集時間，一則是一項鼓勵，二來也是責任，以爲評鑑勤惰與優劣之依據。

4. 若這些資料供自己私人利用時，以15×10cm左右大小之卡片紙（市面有售）書寫或黏貼爲佳，不論利用或保存都較方便，如爲班級共同使用，則可用八開之書面紙或卡紙，如經費有限，美勞課用畢之圖畫紙亦可〔請製一標籤紙❸〕，或以資料袋型式亦甚實用，因共同蒐集時可能資料量會較大。

(三)心得與研究報告的寫作

指導小朋友寫心得並不是告訴小朋有把這篇或這本書讀一遍，把心得寫下來就了事，因爲小朋友也許不知道怎麼寫，因此，先要指導怎麼寫，如：

1. 請小朋有把書目資料寫下來（著者、書名、出版者、出版年、總頁數；著者、篇名、刊名、卷期出版年月、起迄頁次）。

2. 若爲書，則先看書名、著者、目次、序文、緒論、結論、跋或編後語，如爲論文則將篇名、著者外，看研究過程與結論與建議，以瞭解其大意。

3. 快速概覽全文，抓住中心思想。

4. 仔細重讀中心思想部份，並作大綱。

5. 依大綱加以描述，略加修飾與感想

這樣就是一篇心得報告了。

若是要參考的論文或書籍，只要找到自己『需要參考的部份』仔細閱讀，並作筆記即可。

　　至於研究報告的撰寫，就較爲嚴謹了，或許您以爲國小學生沒有能力作研究報告，就看您是否曾經給予應有的指導，如果有，他一定能，例如：

　　一位國小二年級的小朋友，遊過動物園後，對『馬』特別發生興趣，提出許多有關馬的問題，這時，您可以利用機會把他的問題一一記下來，然後帶他到圖書館，把所有關於馬的資料全部找出來，協助他把各種問題一一給予解答，說不定他會花一星期或數禮拜的時間來研究『馬』，也許在研究期間又發現其他的疑點，就這樣窮追不捨的研究下去，必有所獲，最後指導他把研究經過與結果寫出來，也許是一篇很夠水準研究報告的呢！

　　如果對某一主題從事蒐集，當資料蒐集到某階段時，必加以妥善的整理，若資料既已蒐集完整又經整理，就應提出口頭報告或寫成論文，與同學或知音共享，否則閉置無人知，最後連自己也忘了，不是白費工夫嗎？

　　不論口頭報告或撰寫成一篇論文都要注意到完整，所以要先列大綱，依據大綱把蒐集整理好的資料一一放入，加以組合調整，依序排列，注意學術的誠實❹，一定把資料的來源以『附註』的寫法寫出來，最後列一些參考資料（書目），這樣，一篇完整的學術論文就完成了。

註 釋

❶ 介紹指導各種參考用書的內容與用法，以便選擇、利用、參考之參考書。如：張錦郎編著，中文參考用書指引，台北市，文史哲出版社，民69再版。

❷ 詳蘇國榮著，國民中小學圖書館之經營（台北市，台灣學生書局,民80），頁185。

❸ 標籤式樣如下：

分類號			
名　稱			
來　源			
出版期	年	月	日
日　期			

圖 一　　標籤式樣

❹ 詳吳大猷撰，學術的誠實，民生報，民78.09.12.第5版。

第叁章　落　實
『國民小學圖書館利用教育』

第一節　『圖書館利用』是治學的方法

　　自民國七十年教育部頒佈『國民小學設備標準』❶，使『圖書館』在國民小學有了定位，接著台北市教育局在國民教育輔導團內成立『國小圖書館輔導小組』❷，開始逐校的訪問與輔導，台灣省教育廳亦有『五年計劃』撥專款發展國民小學圖書館，教育部又於七十八學年度編列十五億元預算補助高中和國民中小學，發展圖書館教育❸，可見教育行政機關已在重視『國民小學圖書館』，雖然在人員、經費上有重重的困難，一些默默耕耘且頗有成效的學校，亦為數不少，他們努力奮鬥的精神，令人由衷敬佩❹。

　　然而，鑒於客觀條件的限制，大部分國小圖書館的經營尚在起步階段，圖書館在學生的學習與教師的教學之重要性，雖為眾所周知，然而，要想『圖書館利用教育』在每個國民小學落實，可能還需大家共同努力，個人僅在觀念上提出幾點淺見，就教於方家。

　　國立中央圖書館前館長王振鵠教授在一次演講中說：「學問分兩大類；一是知識，也就是某一類科如國語、數學、自然、社

會……追求其高深與專精的知識；一是探求這種知識的方法，這就是『圖書館利用』，利用這種方法來檢索發掘更新、更精、更有用的知識，以造福社會，爲人類謀幸福」。❺

因此，我們知道，在現今日課表所列的科目中，大多是知識性的，惟獨『圖書館利用』是教導『治學方法』的，諸如：

一、如何閱讀

精讀、略讀、選書、筆記撰寫❻。

二、如何蒐集資料

參考資料的認識與利用，資料卡的認識與利用。

三、如何整理資料

蒐集來的資料，如果不加以整理，如同廢物無法利用，反成累贅，應予分類整理，且每一資料置一卡，能予編號（分類號）最好，利用起來就方便了。

四、如何撰寫報告與論文

資料既已蒐集又整理，應該提出報告或寫成論文，與同學或知音共享，否則閒置無人知，最後連自己也忘了，不是白費工夫嗎？

圖書館在學校地位的重要與否？全看每位師生的『觀念』，

如認爲『可有可無』，毫無影響，當然不被重視，尤其是掌預算與行政大權的校長、主任們，可能在『預算書』上掛個『大鴨蛋』，您又怎奈何？若當它如『空氣、陽光和清水』，缺了就活不了時，不重視也不行。因此，當工作伙伴們告訴我『學校不重視圖書館』時，我常反問：『您拿甚麼來讓人家重視？』如果我們能用『經營的成效』來贏得重視，這股力量最爲堅強。因爲，由於我們努力的結果，師生樂於來館閱讀與查檢資料，教學上、研究上、進修上、學習上、甚至休閑上的困難均能在館裡獲得解決，教師和學生的『需要』與『重視』，行政單位又怎能不重視呢？若因我們努力而發揮了圖書館的功能，造成人人都感到『需要』，這時想不重視也不行了❼，更不可能在『預算書』上出現『零預算』了❽。

第二節　　『圖書教師』授
　　　　　『圖書館利用教育課程』

　　『圖書教師』就是曾經接受圖書館學專業訓練又具教育專業的教師，他除了處理館務外，最重要的任務就是擔任『圖書館利用』之教學，試想想看，過去數十年甚至數百年，我們的老師或我們自己可曾經教我們或我們的學生『怎樣看一本書？』『拿到一本書先從那兒看起？』

　　『圖書教師』非但要教學生『如何看書？』以獲取該學門的知識，而且應該指導學生『如何找尋該學門的知識的方法？』也就是『資料檢索與整理』簡單說就是『圖書館利用』，他能延伸

教科書的範圍，加深其內容，假如從小就有這種薰陶，繼之成長，則學術水準必然提高，國民生活的品質亦提昇。

俗語說：「隔行如隔山」，所以『圖書館利用教育課程』就得由『圖書教師』來教學了，一般教師雖有教育專業知能，但缺『圖書館』專業知能，所以未能勝任，然而，國小課程標準中並未將『圖書館利用教育』列入課程標準內，又如何施教呢？筆者認為，治本之道，應把『它』列入國中小課程標準，進行施教，治標之法，則於併入國語科之『閱讀指導』教學，這節課抽出由『圖書教師』任教，圖書教師必需擬訂各年級之『圖書館利用教學大綱』❾，編寫教材，作教學媒體，以利教學活動之進行。

當圖書教師把查檢資料的方法傳授給學生，也告訴了同仁，同時也把各種參考工具書的功用與用法和時機拍成幻燈片或錄影帶，提供教師教學，教師們即可在各科教學時，把查檢資料和參考工具書利用溶入教學，這樣非但『生動了教學』，也使學生的『學習加深加廣』，同時，因為平常就熟練了各種參考工具書的用法，學生遇到疑難困惑，就會習慣性的就教於參考工具書，獲得答案，這種經由自己努力而得的成果，必較甜美，倍加珍惜，所以，不論那一學科均需利用參考工具書，若學生有了這種學習活動，而且純熟，不但教學生動，學習活潑，教師亦可減輕部分負擔，學生的學習興趣更濃，教學的成功，自然不在話下。

第三節　充實『參考工具書』

『參考工具書』是圖書館的靈魂，也是教師教學的支柱，倘

若圖書館沒有『參考工具書』，就像沒有武器的軍人一樣，無法發揮他的功能，所以，首先要設法充實『參考工具書』，方便師生利用參考查檢。如何才能充實呢？下列方法不妨試試：

一、利用『參考工具書』

參考工具書的參考工具書首先具備，它告訴我們有那些參考工具書？如何去使用？有那些內容？如果您準備了幾部這種『參考工具書』，您很快就成了圖書館學的專家了，根據這些參考工具書的參考工具書來購置圖書資料與解答問題，必可滿足師生的需求。也許您又要問：那些是『參考工具書的參考工具書』？我們舉幾部為例如下：

　㈠中文工具書指引／應裕康，謝雲飛同編撰・－－台北市：
　　蘭臺書局，民64年，442面

　㈡中文參考用書指引／張錦郎編撰・－－台北市：文史哲出
　　版社，民71年，746面

　㈢中文參考資料／鄭恆雄撰・－－台北市：台灣學生書局，
　　民71年，395面

　㈣國立中央圖書館台灣分館館藏中外文參考工具書選介／國
　　立中央圖書館台灣分館編・－－台北市：該館，民71年，
　　296面

　㈤科技資料指引／陳善捷編撰・－－台北市：台灣學生書局，民
　　71年，536面

　㈥教育參考資料選粹／胡歐蘭編撰・－－新竹市：楓城出版

社，民69年，440面

至於一般參考工具書如：字辭典、百科全書、索引、摘要、傳記、地理資料、類書、遊記、指南、手冊、視聽資料……都是不可或缺的參考工具書，應儘量設法充實，以利工作之順利進行。

二、爭取贈書

每到一地方，我總喜歡說：『我最喜歡買不要錢的書』，這話怎麼說？不要錢還要買？是這樣的，國內外有許多學術團體、教學機構或機關學校，經常有一些很有價值的出版品出版，大都免費，因此，只要發函索取即可，試想，只要少少郵費即可獲取無價的資料，怎能棄而不顧呢？這種資料對教學與教師進修來說，最為珍貴了，尤其正在進修的同仁，他的需要更為迫切，或許您以為『進修』是私事，可以不要管他，那您就錯了，教師進修也是學校圖書館的服務項目之一，況且進修所獲，受益最大的是學生，因為教師在教學時，有形無形，有意無意都會將自己所學的新知溶入教學，直接受惠的不是學生嗎？

您只要準備幾本書目，不難找到索贈的線索，如：

㈠中華民國政府出版品目錄／國立中央圖書館編.－－台北市：該館

㈡行政院研究發展考核委員會出版品目錄／行政院研究發展考核委員會編.－－台北市：該會

㈢中華民國台灣省政府機關出版刊物選目／台灣省政府新聞處編.－－台中市：編者

㈣中華民國政府出版品目錄／行政院研究發展考核委員會編
　·－－台北市：該會

㈤中國國民黨中央委員會黨史委員會出版書籍目錄／中國國
　民黨中央委員會黨史委員會編·－－台北市：該會

您只要花少許的錢就可以獲得這些書目，把它翻開查看，只
要註明『非賣品』或『贈閱』，您需要的，即可發函索取，您願
一試嗎？

另外幾種索引摘要亦可函索（贈閱的）：

㈠中華民國出版期刊論文索引／國立中央圖書館編·－－台
　北市：該館（彙編本需價購）

㈡中文報紙論文分類索引／國立政治大學社會科學資料中心
　編·－－台北市：編者

㈢教育論文摘要／國立台灣師範大學圖書館編·－－台北市：編
　者

㈣中華民國科技期刊論文索引／行政院國家科學委員會科學
　技術資料中心編　編者

㈤教育論文索引／國立教育資料館編　編者

這些參考工具書是教師們教學、研究、進修所必需，如能利
用這工具查檢資料，我們再以館際合作幫助他，則雖處窮鄉僻壤，亦
可坐擁書城，享受『神交』之樂，您認為可行嗎？

三、妥為利用『預算』

學校經費本來就少得可憐，必需詳加規劃，妥為應用，否則，有

限的預算，花在無用的書上，不是太冤枉嗎？因此，在編製預算時就得先把各教師或學生所提出之『推介單』❿整理　出『優先順序』，預算核定後即可依序選購，否則往往被『人情書』所吃光，這就太悲哀了。

　　校內其他經費亦可設法爭取，諸如：學生活動費、家長會費、校友及地方捐贈等等，只要您的『服務』被『肯定』，經費當如泉水，自湧而來，崙看您的本事了。

第四節　圖書館活動

一、圖書館活動的意義

　　所謂『圖書館活動』並非『在圖書館裡辦活動』就算了，而是利用各種方式舉辦各種活動，不論在館內或館外，主要藉著『活動的進行』，促進學生(讀者)對圖書館的認識，進而『利用館藏』，一則使圖書館充分被利用，二則使活動的內容更形豐富、充實，同時又增進了學習效果⓫。也就是將『利用圖書館的教學活動』趣味化，換句話說，以趣味活動的方式把利用圖書館的技能溶入，以寓教於樂的方式達到我們的目標，而舉辦的方式也很多，最好於學年開始即先行策劃，排入學校行事曆中，依期舉辦，以免因他項活動而耽誤。

　　為了活動活潑而不拘泥，請注意下列幾項原則：

　　1.多樣化、趣味化、活潑化。

　　2.適合讀者（尤其是小學生）之能力與程度，使之有『成就

感』。（因答對或贏得勝利）

3.有啓發性、競爭性，並有適當之獎勵。

4.主動的服務，親切的招待。

5.經常（定期）辦理，不可一曝十寒。

6.利用視聽媒體，增加讀者興趣。

二、展　　覽

　　以動態方式將靜態的資料展出，是閱覽工作與服務對象的延伸，也可吸引與誘導更多的潛在讀者進館，進而利用館藏，因此，我們每辦一次展出，都應注意下列各點。

　　一般人是去『看展覽』的，而『非去作研究』的，所以展品要醒目，主題明確，讓人一瞥即有印象，同時，要有清晰的構想，明確的主題，且突出以吸引讀者；事先計劃要嚴謹，展出內容要瞭解，展出的『標題名稱』要與目的配合而且醒目，一般人以爲圖書館辦展覽就是書展，是推銷書的，是做生意的，其實，圖書館辦展覽是具多重意義的。雖是書展，但有多種方式。

　　(一)不加說明的：

　　只把書放入陳列櫥櫃陳列，封面對讀者或翻開數頁，沒有任何標示。

　　(二)有解說的：

　　由圖書教師、一般教師或小小圖書館員摘錄書中大意或要點，作一介紹。

　　(三)系列性展出：

有計劃作一系列介紹的展出，即專題性展覽。

雖是圖書館辦展覽，並非一定是書展，爲引起小朋友的注意，除書展外，亦可辦玩具展、童玩展、郵票展、服飾展、寵物展兒童書畫展、自製圖書展………等。

但是，不論是那一種展覽都應與知識相串連，所以不妨在展出場中提示某些與展出內容有關的疑題，請至圖書館內找尋答案，答案正確者酌給獎品，以提高興趣，也藉機實施圖書館利用教育。

所以，簡單的說展覽就是廣告，藉這些廣告把小朋友吸引入館，然後加以適當之引導，使之成爲愛書之人。如：

(一)最新資料展：

也就是新書展示，圖書館把新到圖書媒體資料陳列於某一明顯處展示，同時接受出借預約（應優先通知推介購書者，若他放棄優先閱讀，始得接受預約出借），最好能請學校教師先作書評或簡介，以增加學生對此書之瞭解或認識，以決定是否要閱讀。

(二)新教具展：

新增教學媒體最好也作展示，解說其所配合之單元或相關之教材運用，並詳加解說其用法與功效，讓教師瞭解並常加使用，以增教學效果。

(三)特殊資料展：

針對某特定節日或事件，提出館藏特殊相關資料展出，如校慶，展出校史資料，歷年學生畢業紀念冊，歷史照片圖片，歷年所獲獎杯、獎狀等殊榮，同時展出歷年師生研究所得以及發表之作品，均爲珍貴之作，意義非凡。其他如春節之年畫、年俗，元宵之花燈與燈謎，兒童節之童玩………等。

各種展覽均可於館內固定或非固定場所展示，我們只要注意『如何佈置以期吸引小朋友上門』，若能配合動態活動效果必更佳，展期最好能跨一週日或假期，以增學生參觀之時間，如能與訓導處以及各導師配合，則效果更佳。

三、競　　賽

競賽是人的天性，參與比賽也是最好『肯定自己』與『推薦自己』的方法，因此，比賽容易掀起學習的高潮，大家樂於參與，圖書館可以藉各種比賽以吸引讀者，進而『為參加比賽』而『利用館藏』，無形中達到『圖書館利用』的目的，茲列舉幾種比賽於後，提供參考：

(一)查字辭典比賽：

為了使小朋友對各種字辭典的認識，進而熟悉且熟練其用法，利用小朋友競賽的心理，實施比賽，並且提早公佈比賽辦法，非但小朋友會摩拳擦掌，教師亦會實施增強教學，這是我們所期望的。

比賽可分個人組與團體組，不論個人組或團體組均宜依年級（各年級）或年段（高、中、低年級）分別舉行，同時，出題內容應以館內各種字辭典皆含蓋，如普通字辭典與專科字辭典的內容都有，而且不可用一本字辭典即可將全部題目即答全（不然就應由圖書館準備相同之字辭典，查相同之題目，這樣才能公平），以此讓小朋友將各種字辭典的使用方法更為熟練，也利用此機會導引出『遇到挫折不氣餒，接受挑戰』的勇氣，在找尋資料的道路上，困難是難免的，所以，這本工具書找不到，應以另一工具書

試試，甚至要用其它方式來試，決不因找不到就放棄，訓練小朋友鍥而不捨追根究底的精神。

附：××國民小學查字辭典比賽辦法

一、宗　　旨：引導小朋友熟悉字辭典的正確使用方法，藉以培
　　　　　　　養其自學能力。啓發知識之泉源，藉以奠定終身
　　　　　　　教育之基礎。

二、主辦單位：教務處圖書館

三、比賽時間：民國　　年　月　日（星期三）下午　時至　時（最
　　　　　　　好利用星期三下午或聯課活動時間，且於學期出
　　　　　　　排入行事曆，讓教師早有準備，實施教學，以達
　　　　　　　普遍之效果）。

四、比賽地點：本校　樓圖書館。

五、參加資格：本校各年級及夜間識字班同學。

六、報名方式：

　　　1.個人組：分一至六年級，以報名自己就讀年級或較高年級
　　　爲原則，不得報較低之年級。

　　　2.團體組：以班級爲單位，每班一組每組五人。

七、報名時間：民國　　年　　月　　日起至
　　　　　　　民國　　年　　月　　日止。

八、報名地點：本校　樓圖書館

九、比賽辦法：

㈠題目由本校圖書館以館內圖書資料爲範爲出題。

㈡試題比賽當場分發,參加者即時以館內資料作答。並寫出使用參考工具書之書名與頁次。

㈢計分以全對爲滿分,同分以先繳交者爲先,次交者爲後,餘類推。

㈣團體組以五人總分爲準,並以全部答完方列入計算(請分工合作),計分以全對爲滿分,同分以先繳交者爲優勝。

十、獎　　勵:

㈠個人組:分各年級與識字班取優勝前五名外,另取優選若干(十)名。分別頒發獎狀並發給獎品。

㈡團體組:各年級與識字班取優勝前二名。分別頒發獎狀並發給獎品。

十一、經費來源:由學生課外活動費項下勻支。

十二、本辦法經教務會議通過報行政會議通過後實施,修正時亦同。

查字辭典比賽試題舉例:

高年級組:注意事項

1.任何年級同學均可塡答

2.請到圖書館服務台領取答案紙作答

3.限用圖書館字辭典

4.請將使用之字辭典之索書號(特藏號分類號作者號部冊號)及找到之答案所在頁次塡寫在答案紙上。

5.個人組：全答對者爲優勝，答對相同得分者以先答完而提
　出者優勝

6.團體組：以該班得分人數之得分總和高者爲勝。

題　目：

一、請查出下列各字之注音：10%

　　1.薑　2.嘎　3.扞　4.赧　5.匕。

二、請查出下列各字之解釋：20%

　　1.蒯　2.跆　3.厹　4.酋　5.糗。

三、請查出下列各辭之解釋：30%

　　1.鬆一把兒　2.棗糖色兒　3.如筼如火

　　4.整軍經武　5.重重落落。

四、改正錯誤並請寫出正確的是根據那一字辭典：40%

　　1.正本青原　2.秋瘋過茸　3.眞峰相對

　　4.眞髒實飯　5.以公爲功。

(二)百科全書查檢比賽：

用百科全書來找資料對我們的小朋友來說，似乎尙未養成習慣，也就是說小朋友對百科全書的認識與瞭解還不足，其實，百科全書對問題的解答已掌握了十之八九，至少它給了您線索，除了圖書教師作正規的解說外，透過競賽也是一種很好的教學方式，因爲您想要贏取這場比賽，您就會全力以赴，當然會找尋到最快又最準確的查檢方法了，因此，日後他發生了疑問，必也會去查百科全書了，這不就是我們的目的嗎？

附：××國民小學查百科全書比賽辦法

一、宗　　旨：引導小朋友熟悉百科全書正確的使用方法，藉以
　　　　　　　培養其自學能力。啟發知識之泉源，藉以奠定終
　　　　　　　身教育之基礎。

二、主辦單位：教務處圖書館

三、比賽時間：民國　　年　月　日（星期三）下午　時至　時（最
　　　　　　　好利用星期三下午或聯課活動時間，且於學期出
　　　　　　　排入行事曆，讓教師早有準備，實施教學，以達
　　　　　　　普遍之效果）。

四、比賽地點：本校　樓圖書館

五、參加資格：本校各年級及夜間識字班同學

六、報名方式：

　　1.個人組：分一至六年級，以報名自己就讀年級或較高年級
　　　　　　　為原則，不得報較低之年級。

　　2.團體組：以班級為單位，每班一組每組五人。

七、報名時間：民國　年　月　日起至民國　年　月　日止

八、報名地點：本校　樓圖書館

九、比賽辦法：

　　㈠題目由本校圖書館以館內圖書資料為範為出題。

　　㈡試題比賽當場分發，參加者即時以館內資料作答。並寫出
　　　使用參考工具書之書名與頁次。

　　㈢計分以全對為滿分，同分以先繳交者為先，次交者為後，
　　　餘類推。

　　㈣團體組以五人總分爲準，並以全部答完方列入計算（請分
　　　工合作），計分以全對爲滿分，同分以先繳交者爲優勝。

十、獎　勵：

　　㈠個人組：分各年級與識字班取優勝前五名外，另取優選若
　　　　　　　干（十）名。分別頒發獎狀並發給獎品。

　　㈡團體組：各年級與識字班取優勝前二名。分別頒發獎狀並
　　　　　　　發給獎品。

十一、經費來源：由學生課外活動費項下勻支。

十二、本辦法經教務會議通過報行政會議通過後實施，修正時亦
　　　同。

查百科全書比賽試題舉例：

　　高年級組：**注意事項**

　　1.任何年級同學均可填答

　　2.請到圖書館服務台領取答案紙作答

　　3.限用圖書館百科全書

　　4.請將使用之百科全書之索書號（特藏號分類號作者號部冊
　　　號）及找到之答案所在冊數及頁次填寫在答案紙上。

　　5.個人組：全答對者爲優勝，答對相同得分者以先答完而提
　　　出者優勝。

　　6.團體組：以該班得分人數之得分總和高者爲勝。

題　目：

一、請解釋出下列各辭之意義：10％

　　1.八字　2.玻璃版　3.拍案驚奇　4.耐龍　5.菰菜。

二、請查出下列地名在何處：20％

　　（如爲我國答省，如外國答國或洲）

　　1.南旺　2.喀拉蚩　3.庫倫　4.衡山　5.齊齊哈爾。

三、請查出下列人名是那國人？因何出名？：30％

　　（如爲我國人答朝代，如外國答國或洲，並說出他的專

　　長或貢獻）

　　1.固特異　2.谷騰堡　3.康有爲　4.忽必烈　5.秋瑾。

四、請回答下列各題：40％

　　1.甚麼是『祈禱蟲』？

　　2.甚麼是『水魚』？

　　3.甚麼是『潮汐發電廠』？

　　4.甚麼是『才子書』？

　　㈢查名人傳記資料與查地理資料競賽：

　　在整個世界文明中，如果把人與地抽去，這文明變成甚麼！因此，人與地的資料充斥於各處，資料量也最大，隨出都有，要條理起來也不容易，然而，各種的演說或論著，在在都得引用這些古聖先賢的言行，傳記資料的重要不言可喻了。

××國民小學查傳記與地理資料比賽辦法

一、宗　　旨：引導小朋友熟悉傳記與地理資料的正確使用方法，藉以培養其自學能力。

二、主辦單位：教務處圖書館。

三、比賽時間：民國　　年　月　日(星期三)下午　　時至　　時（最好利用星期三下午或聯課活動時間，且於學期出排入行事曆，讓教師早有準備，實施教學，以達普遍之效果）。

四、比賽地點：本校　　樓圖書館。

五、參加資格：本校各年級及夜間識字班同學。

六、報名方式：1.個人組：五、六年級分別自由報名。
　　　　　　　2.團體組：以班級爲單位，每班一組每組五人。

七、報名時間：民國　　年　　月　　日起至
　　　　　　　民國　　年　　月　　日止。

八、報名地點：本校　樓圖書館。

九、比賽辦法：

　㈠題目由本校圖書館以館內圖書資料爲範爲出題。

　㈡試題比賽當場分發，參加者即時以館內資料作答。並寫出使用參考工具書之書名與頁次。

　㈢計分以全對爲滿分，同分以先繳交者爲先，次交者爲後，餘類推。

　㈣團體組以五人總分爲準，並以全部答完方列入計算（請分

工合作），計分以全對為滿分，同分以先繳交者為優勝。

十、獎勵：

　　㈠個人組：分各年級與識字班取優勝前五名外，另取優選若
　　　　干（十）名。分別頒發獎狀並發給獎品。

　　㈡團體組：各年級與識字班取優勝前二名。分別頒發獎狀並
　　　　發給獎品。

十一、經費來源：由學生課外活動費項下勻支。

十二、本辦法經教務會議通過報行政會議通過後實施，修正時亦
　　　同。

查名人傳記資料與地理資料比賽試題舉例：

高年級組：注意事項

1.任何年級同學均可填答。

2.請到圖書館服務台領取答案紙作答。

3.限用圖書館名人傳記資料與地理資料。

4.請將使用之名人傳記資料或地理資料之索書號（特藏號分
　類號作者號部冊號）及找到之答案所在冊數及頁次填寫在
　答案紙上。

5.個人組：全答對者為優勝，答對相同得分者以先答完而提
　出者優勝。

6.團體組：以該班得分人數之得分總和高者為勝。

題　目：

一、請查出下列人物之時代與籍貫：10%

1.孔明　2.岳飛　3.孔丘　4.張良　5.李白。

二、請說出下列地名在何處：20%

（如爲我國答省，如外國答國或洲）

1.張家口　2.烏魯木齊　3.米蘭　4.通天河　5.打貓

三、請查出下列人名是那國人？因何出名？30%

（如爲我國人答朝代，如外國答國或洲，並說出他的專長或貢獻）

1.畢昇　2.宋應星　3.康有爲　4.牛頓　5.哥倫布。

四、請回答下列地名在何處？因何出名？40%

1.鏡泊湖　2.鐵山　3.瀟關　4.汀泗橋

××國民小學有獎徵答實施要點

一、宗　　旨：以有獎徵答寓教於樂方式，導入小朋友利用圖書館之各種工具書，習得正確使用方法，藉以培養其自學能力。啓發知識之泉源，藉以奠定終身教育之基礎。

二、主辦單位：教務處圖書館。

三、比賽時間：民國　　年　　月　　日（星期三）下午　時至　時（最好利用星期三下午或聯課活動時間，且於學期出排入行事曆，讓教師早有準備，實施教學，以達普遍之效果）。

四、比賽地點：本校　樓圖書館。

五、參加資格：本校各年級及夜間識字班同學。

六、報名方式：自由報名。

七、報名時間：民國　　年　　月　　日起至

　　　　　　　民國　　年　　月　　日止。

八、報名地點：本校　　樓圖書館。

九、比賽辦法：

　　㈠題目由本校圖書館以館內圖書資料爲範爲出題。

　　㈡試題比賽當場分發，參加者即時以館內資料作答。

　　㈢滿分超過十人以上公開抽籤。

十、獎勵：

　　㈠錄取優勝前十名，滿分超過十人以上公開抽籤。

十一、經費來源：由學生課外活動費項下勻支。

十二、本辦法經教務會議通過報行政會議通過後實施，修正時亦
　　　同。

××國民小學說故事比賽實施要點

一、宗　　旨：以說故事比賽寓教於樂方式，導入小朋友利用圖
　　　　　　　書館之各種傳記資料，習得正確使用方法，藉以
　　　　　　　培養其自學能力，並訓練其發表與組織能力。

二、主辦單位：教務處圖書館。

三、比賽時間：民國　　年　　月　　日（星期三）下午　　時
　　　　　　　至　　時（最好利用星期三下午或聯課活動時間，
　　　　　　　且於學期出排入行事曆，讓教師早有準備，實施
　　　　　　　教學，以達普遍之效果）。

四、比賽地點：本校　　樓圖書館。

五、參加資格：本校各年級及夜間識字班同學。

六、報名方式：分一至六年級，以報名自己就讀年級爲原則，不
　　　　　　　得報較低之年級。

七、報名時間：民國　　年　　月　　日起至
　　　　　　　　民國　　年　　月　　日止。

八、報名地點：本校　　樓圖書館。

九、比賽辦法：

　　㈠題目以本校圖書館館內圖書資料爲範爲軋圍，題目當場發
　　　表。

　　㈡參加者即時以館內資料查檢完成初稿。並寫出使用參考工
　　　具書之書名與頁次。

　　㈢二十分鐘後抽籤決定次序後即開始依序講演。

　　㈣計分以內容50％，態度20％，發音30％。

十、獎勵：

　　各年級與識字班取優勝前五名。分別頒發獎狀並發給獎品。

十一、經費來源：由學生課外活動費項下勻支。

十二、本辦法經教務會議通過報行政會議通過後實施，修正時亦
　　　　同。

四、遊　戲：

　　可配合唱遊教學或趣味遊戲進行，把『利用圖書館』的各項
技巧與知識，用遊戲的型態出現於小朋友面前，不知不覺的在遊

戲中學到了許多法寶。亦可應用查檢參考資料中所記載的遊戲方法來做活動。

××國民小學填字遊戲辦法

一、宗　　旨：以有獎徵答寓教於樂方式，導入小朋友利用圖書館之成語辭典或普通辭典，習得正確使用方法，藉以培養其自學能力。

二、主辦單位：教務處圖書館。

三、比賽時間：民國　　年　　月　　日（星期三）下午　　時至　　時（最好利用星期三下午或聯課活動時間，且於學期出排入行事曆，讓教師早有準備，實施教學，以達普遍之效果）。

四、比賽地點：本校　　樓圖書館。

五、參加資格：本校各年級及夜間識字班同學。

六、報名方式：全校同學自由參加。

七、報名時間：民國　　年　　月　　日起至民國　　年　　月　　日止。

八、報名地點：本校　　樓圖書館。

九、比賽辦法：

　　㈠題目由本校圖書館以館內圖書資料爲範爲出題。

　　㈡試題由圖書館公佈，參加者即時以館內資料作答。答案紙可圖書館服務台領取或自行複印。

　　㈢答案需直接寫入答案紙（不得影印答案），計分以全對爲

滿分，滿分人數超十人時，於朝會當眾抽籤。

十、獎　勵：

　　錄取前十名，超十人以上時，於朝會當眾抽籤給獎。

十一、經費來源：由學生課外活動費項下勻支。

十二、本辦法經教務會議通過報行政會議通過後實施，修正時亦
　　　同。

××國民小學文字接龍遊戲辦法

一、宗　　旨：以文字接龍寓教於樂方式，導入小朋友利用圖書
　　　　　　　館之成語辭典或普通辭典，習得正確使用方法，
　　　　　　　藉以培養其自學能力。

二、主辦單位：教務處圖書館。

三、比賽時間：民國　　年　月　日（星期三）下午　時至　時（最
　　　　　　　好利用星期三下午或聯課活動時間，且於學期出
　　　　　　　排入行事曆，讓教師早有準備，實施教學，以達
　　　　　　　普遍之效果）。

四、比賽地點：本校　　樓圖書館。

五、參加資格：本校各年級及夜間識字班同學。

六、報名方式：全校同學自由參加。

七、報名時間：民國　　年　　月　　日起至
　　　　　　　民國　　年　　月　　日止。

八、報名地點：本校　　樓圖書館。

九、比賽辦法：

㈠題目由本校圖書館以館內圖書資料爲範爲出題。

㈡首則成語由圖書館公佈，參加者分五人一組，抽籤排序，一號以圖書館公佈之成與末字爲新成語之首字作答，二號同學以一號同學所答成語末字爲新成語之首字作答，餘類推，無法接答者即出局，後一號接替，到最後仍能作答者爲此組優勝。

㈢各組優勝再依次比，到最後仍能作答者爲優勝。

十、獎　　勵：

錄取前十名，超十人以上時，於朝會當衆給獎。

十一、經費來源：由學生課外活動費項下勻支。

十二、本辦法經教務會議通過報行政會議通過後實施，修正時亦同。

舉　例：

1.首字相同之四字成語。

2.末字相同之四字成語。

3.第一人之末字爲第二人之首字的四字成語。

4.以句子相連亦可。

五、製　作：

應用參考資料中所記載的資料來製作一些玩具或教具等。

××國民小學小讀者俱樂部實施要點

一、宗　　旨：倡導讀書風氣，指導小朋友選擇圖書資料，養成
　　　　　　　兒童良好的讀書習慣，以引導小朋友利用圖書館
　　　　　　　之各種工具書與媒體資料，習得正確使用方法，
　　　　　　　藉以培養其自學能力。

二、主辦單位：教務處圖書館。

三、活動時間：配合聯課活動實施。

四、活動內容：

　　㈠首先由圖書教師講述甚麼是好書？如何選好書？好書那裡
　　　找？

　　㈡圖書教師指導如何讀好書？以及筆記與摘要之作法。

　　㈢圖書教師就館內選擇部份好書，提供小朋友閱讀。

　　㈣小朋友發表閱讀心得與感想。

　　㈤小朋友選擇部份好書，自己閱讀。

　　㈥小朋友發表自選圖書之閱讀心得與感想。

五、報名方法：自由前往圖書館報名，分中高年級兩組，每組十
　　　　　　　至二十人。

六、獎勵：選擇優良之閱讀心得作品定期發表，並酌發獎品。

七、本要點如有未盡事宜，得隨時修正公佈。

××國民小學成果樹製作實施要點

一、宗　　旨：倡導讀書風氣，指導小朋友選擇圖書資料，養成
　　　　　　　兒童良好的讀書習慣，以引導小朋友利用圖書館
　　　　　　　之各種書籍與媒體資料，習得正確使用方法，藉
　　　　　　　以培養其自學能力。

二、主辦單位：教務處圖書館。

三、活動時間：利用時間實施。

四、活動內容：

　　㈠首先由圖書教師講述甚麼是好書？如何選好書？好書那裡
　　　找？

　　㈡圖書教師指導如何讀好書？以及筆記與摘要之作法。

　　㈢圖書教師就館內選擇部份好書，提供小朋友閱讀。

　　㈣小朋友自己選擇好書閱讀並發表閱讀心得與感想。

　　㈤小朋友每閱讀完一本好書，經教師測驗及格後發一成果樹
　　　葉貼紙。

　　㈥小朋友集滿十片成果樹葉貼紙，得換一成果樹之果實或貼
　　　紙。

　　㈦小朋友集滿十個成果樹果實葉貼紙，得換一智育獎牌。

五、報名方法：全校同學參加。

六、獎勵：學期結束時統計，以獎牌之多少為優勝，擇前十名酌
　　　　　發獎品獎勵之。

七、本要點如有未盡事宜，得隨時修正公佈。

××國民小學童玩製作比賽施要點

一、宗　　旨：倡導讀書風氣，指導小朋友利用圖書資料，養成
　　　　　　　兒童良好的讀書習慣，以引導小朋友利用圖書館
　　　　　　　之各種書籍與媒體資料，習得正確使用方法，藉
　　　　　　　以培養其自學能力。

二、主辦單位：教務處圖書館。

三、活動時間：利用時間實施。

四、活動內容：

　　㈠由圖書館公佈製作童玩名稱。

　　㈡圖書教師指導如何查檢該童玩有關之書籍或資料。

　　㈢找尋有關該童玩製作的有關之書籍或資料。

　　㈣找尋有關該童玩製作的有關材料。

　　㈤進行製作。

　　㈥觀摩欣賞。

五、報名方法：全校自由同學參加。

六、獎勵：擇前十名酌發獎狀與獎品獎勵之。

七、本要點如有未盡事宜，得隨時修正公佈。

舉　例

風箏的製作	各型摺紙的製作
風車的製作	各種剪紙的製作
浮標的製作	陀螺的製作
不倒翁的製作	……………
飛機的製作	

註 釋

❶ 教育部頒佈『國民小學設備標準』（台北市，正中，民78），頁91～
130。

❷ 詳蘇國榮撰，台北市教育局國民教育輔導團圖書館教育輔導小組簡介，
中國圖書館學會會報第36期（民73年12月），頁21-27。

❸ 每校可得二十五萬元之補助。

❹ 同❷。

❺ 詳蘇國榮撰，國民中小學圖書館之經營（台北市，台灣學生書局，民
78），頁271～272。

❻ 詳蘇國榮撰，如何實施閱讀指導，國教月刊第32卷第4期（民74年6月），
頁21～27。

❼ 詳同❺，頁275～276。

❽ 台北市的國民小學中，在民國74年度有58校民國76年度有34校的圖書
預算數是掛『零』的，詳見台北市教育局編，市立國民小學資本支出
「教學設備」分析表。

❾ 詳同❺，頁233～242。

❿ 國民中小學圖書館常用之『推介單』如下：

```
┌────────────────────────────────────────┐
│                                        │
│   如果  您發現值得推荐的好書，請告訴我們，以便買回  │
│  來，供大家享用。                         │
│                                        │
│   請寫：                               │
│                                        │
│     書名：_____  著者：_____    │
│                                        │
│                                        │
│     出版者（書局）：_____  出版年：_____  │
│                                        │
│                                        │
│     推介者姓名：_____    年  月  日    │
│                                        │
└────────────────────────────────────────┘
```

圖 二 推介單式樣

　若為學生用，可在推介者姓名之前加上年班，以便通知結果。

⑪　詳蘇國榮，國民中小學圖書館之經營，台北市，台灣學生書局，頁244，
　　民80修訂一刷。

第肆章　國小圖書館的規劃 與建築

第一節　前　　言

　　一個暑假的早晨，突然電話鈴響起，拿起聽筒，有點急迫的：『老師！救命呀』！『我是語文系剛結業的張一得（姓名係虛擬）同學，接受分發報到後，校長就把圖書館交給了我，本想可以大大發揮一番，仔細一問，再實地觀察，原來圖書館連影子都沒有，只見一個教室的角落有一堆破書亂紙，毫無生氣的擱在那兒，天呀！怎麼辦！老師，您一定要救救我，否則，師院生的招牌就被我砸了，我豈不是變成罪人了嗎』？

　　聽過他的敘述，仔細一想，雖是語文系的師院生，但是他們在校時因沒開『圖書館學』課程而未具此知識，只好以『急診』處理了。

　　當時我除了立即郵寄拙作『國民中小學圖書館之經營』❶一書以為工作藍本外，並提出如下的建議，以為參考。

　　首先徵得校長或教導主任的同意，撥一間教室充圖書館，然後到教室找五六個幫手，先將這間『圖書館』打掃乾淨，到書堆中先將『中華兒童叢書』和『中華兒童百科全書』與各類字辭典都找出來，分別各放一堆，都放置妥善之後，先把『中華兒童百

科全書』的第一冊全部找出來放一塊，然後第二冊、第三冊、第四冊……餘類推，這樣就把『中華兒童百科全書』整理完畢。

其次把『中華兒童叢書』中相同書名的先找出來放一疊，找全之後請小朋友看書的封底找到分類編號❷處，第一位小朋友找編號第一位數是『1』的拿來放一處，第二位小朋友找編號第一位數是『2』的拿來放另一處，第三位小朋友找編號第一位數是『3』的拿來又另置一處……餘類推，都找好後，接著第一位小朋友在編號第一位數是『1』的那堆中找出第二位數是『1』的放一處，第二位小朋友在編號第一位數是『1』的那堆中找出第二位數是『2』的放一處，第三位小朋友也在編號第一位數是『1』的那堆中找出第二位數是『3』的放一處……餘類推（如下圖），編號第一位數是『1』的都取完後取編號第一位數是『2』的，然後是編號第一位數是『3』的……餘類推，最後，依照其編號最小的開始上架，就這樣，很快的就把『中華兒童叢書』整理好了。

然後把相同的字辭典置一處，很快的字辭典又整理好了，您的圖書館已具雛型，也有一點模樣，最後把兒童讀物與教師用書分別放一處，就這樣，讓讀者進館要查檢資料稍有眉目了，這樣在一兩千冊的簡易圖書館來說稍可應付，若超過三千冊❸以上藏書量就得依正規來處理才容易找到您想要的特定資料了。

過了兩星期，他又撥電話來了，他說：「依照您的『急診處方』，花兩個下午的時間，把那套小朋友最喜歡教師上課利用最多的『中華兒童叢書』與『中華兒童百科全書』整理好，馬上得到校長和教導主任的稱讚，但是，以後要怎麼辦？怎樣可使圖書館變得更生氣活潑？能不能再提一些法寶給我，讓我不但不漏氣，更

可使師院生的招牌更響亮些」。您說,我能袖手旁觀嗎?

　　為了接二連三的接到結業同學的來函與電話,以最簡單的方式提供『初辦國小圖書館』處方,以供參考,亦請方家賜正。

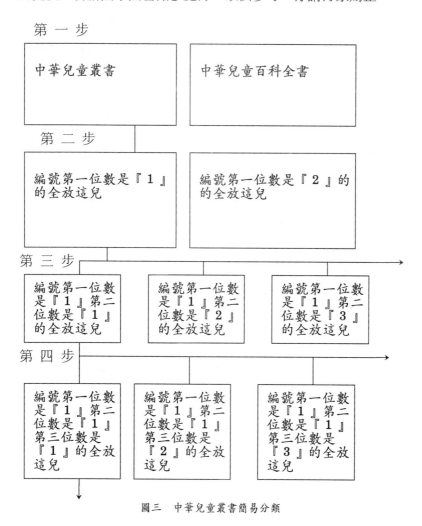

第 一 步

| 中華兒童叢書 | 中華兒童百科全書 |

第 二 步

| 編號第一位數是『1』的全放這兒 | 編號第一位數是『2』的的全放這兒 |

第 三 步

| 編號第一位數是『1』第二位數是『1』的全放這兒 | 編號第一位數是『1』第二位數是『2』的全放這兒 | 編號第一位數是『1』第二位數是『3』的全放這兒 |

第 四 步

| 編號第一位數是『1』第二位數是『1』第三位數是『1』的全放這兒 | 編號第一位數是『1』第二位數是『1』第三位數是『2』的全放這兒 | 編號第一位數是『1』第二位數是『1』第三位數是『3』的全放這兒 |

圖三　中華兒童叢書簡易分類

第二節　規劃館舍

　　如果您有一座獨立的館舍，您必需有妥善的規劃，工作人員與讀者和資料所需的空間應有合理的分配，資料與讀者『動線』有否衝突，『傢俱高矮』與『顏色』的選擇，牆壁色彩與飾物的調配，供應與安全系統的檢查，照明與空調的配置，一一都需設想周到，使小朋友一進館就有投入母親懷抱的溫暖與親切，有如進入仙境而樂於常來。

　　若以『舊有之剩餘教室』改裝，為安全起見，請將『書架的位置』設計於靠『牆與樑』上，以免因書的重量超過而使教室地板龜裂而生危險❹，尤其是年邁老舊的教室要特別小心，假如這種圖書館位居地面層，則可免上述地板承載不足之思慮，若在二層以上則不得掉以輕心❺。

　　不論是獨立的館舍或是利用剩餘教室改裝，在出入的門口附近設計流通服務臺❻，以方便小朋友借還資料，另設工作室以供分編採選與修護工作之需，同時亦需備至少可容一個班級小朋友的閱覽席，以供集體實施圖書館利用教學之用，為適應急劇增加的『視聽資料』，銀幕、放影機、放音機等設備應充實，這是現代兒童的最愛，『沙發』最好以小朋友最喜歡的顏色與形狀為主❼，四周牆壁與傢俱的色彩可用鮮豔而不刺眼之綠、黃或粉紅色，書架應以適合其身高之矮書架，若空間許可時，於適當地點擺上盆景當活潑一些。

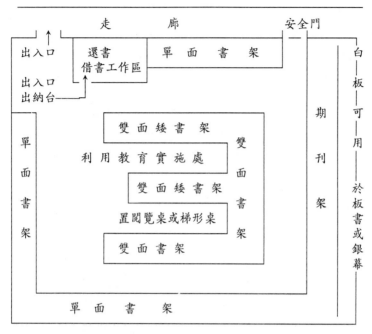

圖四 普通教室改裝爲圖書館之規劃設計

第三節 選擇分類法

一般說來，圖書分類是依學術分類而來，但是，圖書資料與純學術有所差距，一門學問可依其學術體系細分至其一定的位置，如班鳩，您可由動物→脊椎動物→鳥類而鳩鴿類；但是一本書可不同了，它可能單純的寫一門學問的知識，也可寫許多領域的資料，例如百科全書，它可能是一部包羅萬象的百科全書，也可能是專門寫有關所有鳥類，甚至班鳩的『鳥類百科全書』『班鳩百科全書』等

專門百科全書，也可能在一本書中包含兩或三人不同類別的作品，換句話說，幾位作者所寫不同的作品，合印成一本書出版，所以，不像純學術知識分類的脈絡分明，且毫無瓜葛，因此，圖書館學者為了服務讀者與館員管理資料，苦心研究出一套完整的規則，我們稱之為『圖書分類法』，目前已有數種圖書分類法在各圖書館運作，我們需考慮本身館藏的最大容量與經營發展的方向，更要注意整個圖書館界的趨勢，慎重選擇已有的圖書分類法，以免因實行數年後發現選擇錯誤而必需更換，那時所需的時間與人力與財力的耗費就難以估算了。

圖書分類法是圖書資料分別歸類的依據，也可以說是一種標準，為讀者檢索與館員管理資料的準繩，目前國內各公共圖書館與大專院校圖書館使用『中國圖書分類法』❽的為數最多，因此，筆者建議貴館採用中國圖書分類法，這樣，我們教育訓練出來的學生，到各公共圖書館或大專院校圖書館利用資料時，就不需再學習另一圖書分類法，而且資料需互通時也方便多了。

第四節　小義工的甄選與訓練

各校雖指派教師兼任圖書館的各項工作，稱之為『圖書教師』，但未減其授課分鐘數致使圖書教師需擔負一般教師之教學又需負責圖書館的繁複館務工作，各國小又無圖書館人員之編制❾，因此，國小圖書館教育之推展陷入絕境。為使不影響教學又能推展館務，在沒有任何編制與經費狀況下，僅有尋求「義工」一途較為可行❿，義工的來源有「退休教職員工」、「愛心媽媽」與

「本校學生」，這些人員經過適當的訓練，都能對圖書館工作的推展有莫大的幫助，尤其是「本校學生」來源與出勤均較為穩定，訓練完成後工作時間亦較久，所以，成為「圖書教師」有力的助手。這些來自「本校學生」的「義工」，我們稱之為「小小圖書館員」。

　　「小小圖書館員」，經過一定的圖書館教育與訓練後，在本校圖書館由教師指導下協助辦理圖書館相關事宜，他們學習有關圖書館學方面的知識和技能，也學會一些處理事務的原則與方法，同時協助圖書教師處理館務，解決國小圖書館沒有編制下用人困難的瓶頸，亦不失教育原則之下的兩全之計了。或許您要問，『有可能嗎』？我的答案是肯定的❶。

一、甄選條件

　　1.**熱愛圖書**：對於書籍與資料有所鍾愛，才會感到需要，而生為它服務的情誼。

　　2.**各科成績及格**：不論德智體群美各項成績均達及格標準以上，否則輔導使達到後方錄用。

　　3.**品德優良**：無不良記錄。

　　4.**具服務精神**：圖書館員必以「利他」為服務準則❷，應以無怨無悔之心來為讀者服務，所以服務熱忱為重要標準之一。

　　5.**字跡清晰**：圖書館內的工作與文字書寫有密切關係，字跡清晰，當然重要。

　　6.**拼音正確**：若拼音有困難，行個別輔導，正確後再行錄用，以利中文電腦輸入工作。

7.衣飾整潔：服裝整潔之要求，爲一教育措施，且達此要求者工作較爲嚴謹。

8.具繪圖或電腦輸入能力者尤佳。

二、訓練領域

㈠ 圖書館基本知識

1.書碼(索書號)的認識：對於分類號、著者號、部冊號、年代號、作品號與特藏號之認識可以方便查檢資料與出納作業之處理。

2.各種目錄的認識：書名目錄卡片、分類目錄卡片、著者目錄卡片、標題目錄卡片之認識，用以方便查檢各種資料。

3.館內資料的排架：一般圖書館資料媒體之排列於館內書架的位置稱之爲排架，它有一定的排列順序與方法，管理與利用才方便，否則，汗牛充棟的資料，堆積一處，如何檢索，更談不上利用了，目前普遍採用以「分類號」爲依據，即按「分類號」之數字，由數值小而大❸，若某書裝訂或版面特殊❹以及因管理與使用❺而需特別另置一處者，則依特藏號標示排列放置。瞭解這一原則之後，不論是找尋資料或處理歸架工作均可事半功倍。

4.各種參考書的認識與利用：字詞典、百科全書、傳記與地理資料、索引……這些找資料不可或缺的工具一定要他們認識且熟悉使用方法，唯有這樣他自己可獲益而且方便服務別人。

5.剪輯資料的蒐集與整理：經由圖書教師的指導，對於報章雜誌上有益於教學的論文與各種資料，如何蒐集(影印)，如何整理(剪貼)，如何分類，如何編號，如何裝訂與利用。

6.摘取大意與心得寫作：對於一篇文章或一本書，如何擷取要意寫成摘要或心得。

(二)　編目工作

1.目錄的寫法：首先指導小朋友認識「書名、著者、版次、出版地、出版者、出版年」等項在書的位置，面葉數、高廣的算法。其次解說各種標點符號的寫法與用法，如「／」、「.－－」、「[]」、「()」、「，」、「：」、「；」等❻，簡要說明如下：

(1)書名另有副書名(　又名解釋書名　)，平行書名❼。副書名之前所跟的是冒號「：」，例「霧社事件：台灣高砂族的蜂起」，而平行書名之前是等號「＝」，例「自我的掙扎＝Neurosis　and Human Growth」。

(2)著者之前所跟的是斜撇「／」，例「國民中小學圖書館之經營／蘇國榮著」。

(3)版次之前所跟的是分項符號　「.－－」，例「國民中小學圖書館之經營／蘇國榮著.－－初版。

(4)出版地之前所跟的是分項符號　「.－－」，例「國民中小學圖書館之經營／蘇國榮著.－－初版.－－台北市

(5)出版者之前所跟的是冒號「：」，例「國民中小學圖書館之經營／蘇國榮著.－－初版.－－台北市：台灣學生書局

(6)出版年之前所跟的是逗號「，」，例「國民中小學圖書館之經營／蘇國榮著.－－初版.－－台北市：台灣學生書局，民78

(7)圖表之前所跟的是冒號「：」，例「405面：圖」，若有圖又有表，則圖與表用逗號分開如例「405面：圖，表」，如僅有表就與只有圖一樣，例「405 面：表」。

(8)高廣之前所跟的是分號「；」，例「405面：圖；21公分」。

(9)附件之前所跟的是加號「＋」，例「405面：圖；21公分＋錄音帶1捲」

(10)集叢之前所跟的是分項符號「．－－」且以圓括弧將集叢項括入，例「12，405面：圖；21公分．－－（圖書館學與資訊科學叢書）」，如集叢有編號時，則集叢與編號間以分號分隔，如「12，405面：圖；21公分．－－（圖書館學與資訊科學叢書；236）。

2.目錄卡片的排列：目錄卡片書寫完成後，應即指導排片，首先指導依分類號之大小排列，小的在前，大的在後，依序排列，如有020，005，120.1，308.9，019.1等五張卡片，則應依005，019.1，020，120.1，308.9 排列，即將所有分類目錄卡片取出，首先把第一位數相同的放一處，全部分開放妥後，再將首位數為「0」的拿來，再把第二位數相同的放一處，全部分開放妥後，再將二位數為「0」的拿來，再把第三位數相同的放……餘類推，但是，由於卡片數量因逐日生產而增多，檢索發生困難，所以需製「導卡」❸，首先製000，100，200，300，400，500，600，700，800，900等十種，然後看那一類卡片較多，則該類再細分，如800語文類，必有許多，就做810，820，830，……890等導卡，方便查檢，至於「書名片」與「著者片」，則依書名或著者第一個字的筆畫數為序，少者在前多者在後，依序排列，若筆畫數相同時，則依該字的起筆筆順「點」（、）「橫」（一）「直」（｜）「撇」（ノ）「捺」（ㄟ）為序，若相同之二字，則視第二字之筆畫數較少者為先，當卡片數量因逐日生產而增多，檢索發生困難，也需要製「導卡」，導卡可把一至三十六劃依次製齊，如同一筆畫數的書

很多時，也需依「點」「橫」「直」「撇」「捺爲序製作導卡應用，這樣，可供查檢的目錄就完成了。

3. 書標的書寫黏貼：在編目工作中，「索書號」的產生必需由「圖書教師」親自完成，所以，圖書教師把已完成的索書號書寫在圖書的固定位置，指導小小圖書館員從圖書的固定位置抄錄索書號，並詳細說明書標的寫法(若用電腦處理，則可自動由列表機印出)，以及黏貼在書本的固定位置，以期美觀。

4. 書後袋的書寫黏貼：書後袋的書寫力求簡單，故僅錄「索書號」與「登錄號」即可(若用電腦處理，則可自動由列表機印出，黏貼於書後袋即可)。

5. 書後卡的書寫：將「索書號」、「登錄號」、「書名」、「著者」等依格式填寫(若用電腦處理，則可自動由列表機印出，黏貼於書後卡即可)。

6. 中文電腦輸入：國小四年級以上的小朋友對於國語拼音不致發生困難，而且認字亦較多，所以，用倚天注音符號法輸入不會發生疑困，因此，若設計操作簡單，學習容易的程式，由學生輸入資料，「圖書教師」僅作分類與檢查，完成後更可將資料與他館交換，一來可以加速學校圖書館圖書資料的上架速度，教師與學生可以提早利用到寶貴的資料，更因資料的交換而提昇圖書館經營的素質，目前已有將近八十所學校採用[19]，且部份亦開始交換資料使用[20]，一則減輕圖書教師的負擔，所餘的時間以作讀者服務之提昇。

㈢　出納手續

1. 借書手續：目前圖書館均採開架管理，所以借書的讀者

自行進入書庫查看自己想借的書，找到之後將書帶到出納台，將「書後袋」之「書後卡」取出，填上「日期」與「班級」和「姓名」，並在「借書證」上填寫「書名」或「登錄號」後，交出納員於「到期單」上蓋「到期日」章即可取書離去，出納員可將書後卡夾於借書證依班級放置於本日借書之盒子，待今日工作將結束時整理統計，記於「日報表」上（ 若用電腦處理，因書與借書證均貼有「條碼」，所以當讀者自書庫取書到出納台，將書與借書證交出納員以「光筆」劃過[讀入]即可 ），借書手續即告完成。

2.還書手續：書看畢，將書交出納員，出納員則於置借書證的盒子取出其借書證與書後卡，經核對無誤後，於借書證蓋上「還」或「已收」或其他符號，讀者即可取回借書證後離去，出納員則將書後卡插回書後袋準備歸架（若用電腦處理，因書與借書證均貼有條碼，所以讀者將書交給出納員，他將書與借書證以光筆劃過[讀入] 即可 ），還書手續即告完成。

3.統計工作：為瞭解學生利用資料與資料被利用之情形，只有依靠統計數字的量化，個人借書量與某類資料被借量均可作國小圖書館經營之指針，每日統計、每月統計與每學期統計都需進行，然因國小圖書館人力不支，難以進行，如採用電腦，各項統計因於採選編目出納等活動中已輸入所需數據，各種需要的統計表報均於程式設計中設定，只要給予適當的指令，即可由列表紙列印出來供使用，準確而美觀。

4.逾期催欠：如到借書限期而讀者遺忘或故意拖欠，於每週特定一日中午由小小圖書館員持借書證與書後卡前往催還，如當時可還者即予辦理，若未帶來學校者，請其次日歸還。遺失者

照價賠償，以為「負責任」之教育，若不賠者，通知家長前來償還，並告知實情。(若用電腦處理，則由程式控制，逾期自動列印催欠通知單，書面通知借書人，若三次通知而未還者以遺失論處。[應載於借書規則])

5.電腦檢索與輸入：如圖書館電腦數足夠使用，可由線上檢索及辦理借還與催欠等手續，節省時間與人力。這樣可以節省印各種目錄卡片與排卡之時間與人力，且檢索速度又快，也節省讀者的時間，如能與他館連線，互通有無，間接的也擴充館藏，延伸讀者的視野，促進學習與研究，一舉兩三得，何樂而不為。

6.電腦報表製作：一切表報均交電腦處理，迅速、準確又美觀。

(四)　圖書維護

1.書架的整潔與讀架：書架的整潔可每日擦拭一次，於共同的清掃時間進行，地面之清潔最好用吸塵器，以免塵土飛揚，沾污書籍，書架之擦拭宜用乾布或吸塵器，以免用水而損及書籍與書架之安全，在清掃之時可順便讀架，只要把不同類之資料歸類即可，因開架經營，難以完全精細順號，最好某些架由某人負責，取出他架之書，置於固定之某處，各人亦至該處取回自己架上所屬類別的書，這樣，約五至十分鐘即可讀架完成。

2.平裝書的修補：書本之裝訂如為穿線而成者，其線脫斷而使書頁散落，所以可以用透明膠帶黏貼(請用品質較佳者如3m等)，若封面受損，可用卡紙或較厚之紙張重新製作，寫上書名於封面及書脊，重新黏貼書標及護被。

3.精裝書的修補：精裝之書籍最易毀損之處在於書之本身

與封面容易脫離，小朋友使用時不一定能注意，亦有裝訂線被拉斷者，所以可以用較寬之透明膠帶黏貼。

4.剪輯與影印資料的整理和維護：國小購置圖書之經費短缺，剪輯與影印資料便成為蒐集支援教學資源的重要工作，因此，圖書教師主要的工作在於圈選資料與指導小朋友如何影印剪裁與黏貼，然後製卡分類（編號）儲存，運用起來就方便了。

三、訓練方法

經甄選之小朋友以不同班或不同年之同學兩人或三人為一組予以編號，以作訓練完成之後編組輪值工作之準備，編組完成後實施基本編目訓練。

(一) 準　備

圖書教師應備妥完整單元卡每位小朋友乙張，該書乙冊，空白目錄卡片紙每人若干張，每人原子筆乙枝，全體同學就座且將各單元卡、空白目錄卡片紙、書、原子筆置於桌上，圖書教師可把編目過程事前製成投影片或拍成幻燈片，以利說明。

(二) 實　施

教師取出書本，指出書名，說出應寫在卡片的位置與寫法，令學生照樣寫一張，寫畢書名即停筆，教師即巡視查檢正確與否，如發現錯誤時，以請學生自行尋找錯誤之所在而更正，再查檢為佳，這樣自己可以發現錯誤之所在，確實更正，逐一款目均如法泡製，當然，以最簡單的先行學習，每一款目均書寫一次，且經檢視正確後，每人另發新書各一本，令學生試作，教師以不表任何意見為佳，待書寫完成提教師檢視，無誤則可繼續製作，開始量產，

如發現錯誤時，亦以請學生自行尋找錯誤而更正為佳，教師僅作最後之把關，待大家把編目手續純熟後，全體總動員，一般國小的圖書，約三至四個月即可完成編目上架，提供有效之服務。

（三）　正式作業

如人數有十六人以上時，以每人二至三項，實施線上作業方式，可收意想不到的效果，如第一人寫書名與著者，寫畢交第二人，第二人寫版次與出版項，寫畢交第三人，第三人寫稽核項，寫畢交第四人，餘類推，這樣，每人之工作量少，且易熟練而減少錯誤發生，若自己稍偷懶，則因前面的人已完成使自己堆積如山，且後面的人無事可做，心中必加愧戒，因此，人人兢兢業業，很快就可完成。

（四）　電腦編目

如果學校已有個人電腦（PC），而且學校也願意撥一台給圖書館用，那麼先備妥圖書館作業之程式❹，依程式說明指導即可，倘備有數據機❷與電話，即可以連線方式取得相關書目資料，節省編目時間，解決分類之困惑。

四、工作分配

全體小朋友中選一人任小小館長，負分配與指揮之責。工作則分每節下課的出納與每天中午的，編目與維護工作。

（一）　編目與維護工作

從卡片的製作，書標、書後袋與書後卡之製作和黏貼，目錄卡片的印製與排列，書籍媒體的排以及維護，均以每人擔負一二小項為原則，如目錄製作以每人一至二款目，排架與維護每人也

負責一至二架，書標、書後袋與書後卡之製作和黏貼則每人一項，分工精細，責任分明，也易熟練，自然工作效率高。

（二）　出納工作

出納以借還書為主，所以由二至三人為一組，輪班值勤❷，每組每天以不超過二次為原則，每節下課為借還書時間，輪值者必需到勤，如為二人一組，一人擔任借書另一人負責還書工作，若三人一組，則一人擔任借書兩人負責還書工作為宜，因還書工作稍繁雜些。

五、考核與獎勵

小朋友經過一番努力，有所成之時，要適時的給予鼓勵，縱使只是口頭獎勉，對小朋友也是一項莫大的鼓勵，所以，隨時注意觀察，發現有所缺失，即時導正，以免誤導❷，較好之表現勿忘鼓勵，學期末宜在公開場合如休學式中予以表揚，以激勵工作意願，亦予一學期來辛勞的報償，更激起小朋友對因服務能獲尊敬與獎勵而效法，達到生活與倫理的另一章。

第五節　實施編目與分類

編目與分類是較為專業的一部分，在國小服務的教師甚少接受此一專業訓練，因為過去泳師範、師專或師院選習『小學圖書館學』課程的太少了，而圖書館學系科畢業的又無國小教師資格，無法進入小學服務，因此困難重重，雖然沒有圖書館學專業背景，如果您能找到合適的工具，亦可解決一大部分，例如書本式圖書

目錄卡，通常是他館已編成印刷而成的，也是非賣品，只要您靈光一點就可獲得，如台北市立圖書館所編圖書目錄及兒童圖書目錄等，您雖不會分類與編目，可在該目錄中找到所需資料『照抄』，僅更換登錄號與收錄日期，如有電腦作業系統，則經連線取得書目檔，然後以擷取檔案編入即可。

　　如果上列方法無法達成，可用建教合作方式進行，與附近圖書館科系學校訂立以『建教合作』契約，由該校學生以實習方式進行分編工作，但是，必須於他們前來實習之前把書購買完成或整理妥善，才方便實習人員工作。最好是圖書教師本身接受圖書館工作研習，或接受圖書館系科的薰陶，獲得實學方便多了。

　　如果貴館已有電腦（個人電腦即可使用），且有電腦作業系統，則可經連線取得書目檔，然後以擷取檔案編入即可。換句話說，可把他館已完成分類編目且本館新進資料即可運用轉檔鍵入，節省人力與時間，提供更多更好的服務。（目前清江國小圖書作業系統已開始這項服務。）

第六節　排　　架

　　經過編目分類完成之後必需上架，提供師生參考閱讀，但是，數以千記的圖書資料如果沒有一定的準則，那麼雖上了架，也難以找到自己所需的資料，所以，我們必須指導小朋友先將書籍資料依分類號之大小排列，小的在前，大的在後，依序排列，如有020，005，120.1，308.9，019.1等五本書，則應依005，019.1，020，120.1，308.9排列，即將所有圖書資料取出，首先把第一

位數相同的放一處，如000，100，200，300，400，500，600，700，800，900，全部分開放妥後，再將首位數爲「0」的拿來，如000，010，020，030，040，050，060，070，080，090，再把第二位數相同的放一處，即『01』，如010，011，012，013，014，015，016，017，018，019，餘類推，當全部依號上架後，整齊美觀的資料就呈現在您的眼前。在書架上排架的方式，是由左而右，由上而下（如下圖所示），由小分類號而大分類號，分類號相同，再依著者號，分類號、著者號都相同，依部冊號　或作品號　或年代號，所有阿拉伯數字均由小而大排列。

1 2 3 4 5	3132333435	6162636465	9192939495
6 7 8 9 10	3637383940	6667686970	96979899
1112131415	4142434445	7172737475	100
1617181920	4647484950	7677787980	
2122232425	5152535455	8182838485	
2627282930	5657585960	8687888990	

圖五　圖書資料排架示意圖

　　但是，由於書籍資料數量因逐日生產而增多，排架發生困難，所以在排架時，每一書架不得置滿，最好預留三分之一，且各大類最後也需預留部分書架（如上圖第100之後全部留下備用），以便來日新書購回時不至無處藏身而需移架㉕，倘未預留空間，增

加少許新書即需全面移架，浪費人力與時間，耽誤其他工作之進展。

第七節　流　通

　　所謂『流通』包含『借』『還』書，以及相關之統計，在一個教室或兩個教室大小的圖書館來說，『還書的窗口』可利用朝『走廊的方向』，作業的小朋友在館內，還書的小朋友則在走廊排隊依序還書，不至佔據圖書館太多的空間，借書的小朋友在館內選妥喜歡或需要的書，在館內『辦妥借出手續』後離開，這樣不會混淆。

　　借書手續，一般學校都採開架管理，所以讀者自行進館選擇喜好之圖書資料，拿到出納服務台，讀者自行『抽取書後卡』，在書後卡上填寫讀者姓名與年班後，將書和書後卡一交服務小朋友，服務小朋友則將書到期日蓋在到期單上，收取借書證與書後卡，一併置於固定的盒子裡，將書交讀者借出，並在借出人數統計表上劃記人數，亦在借出冊數表上劃記冊數，每日下午最後一節下課統計，填入日報表中，借書手續完成，倘若已備電腦作業系統，也備有光筆或光罩系統，將書和借書證的條碼（Barcode）掃瞄讀入電腦系統中，借書證與書同時交讀者，書後卡亦可廢棄，不需填寫，所有手續完成，統計也完畢，快捷亦常。

　　還書手續，讀者將書交出納台並告知班級姓名，服務小朋友取出借書證與書後卡，將借書證交還讀者，讀者即可離去，服務小朋友則將書後卡插入書後袋中，將書置一定位置，等上架，待

空時或最後一節上架，整個還書手續就算完成，若已備電腦作業系統，將書和借書證的條碼(Barcode) 掃瞄讀入電腦系統中，所有手續即告完成。有關借書、還書、續借、預約與逾期罰則均應於『借書規則』 (註26)中載明，讓小朋友從小養成守法的習慣與尊重別人的觀念，(書是大家的，不可一人獨佔，尊重他人亦有看書的權利) 。

　　流通的統計工作，可分借書人數與借書類別及借書冊數之每日統計和每月統計，最後再做學期與學年之統計，從借書類別及借書冊數之統計可以知道讀者需要與喜愛的書籍資料數據，提供我們一些採訪的訊息，至於借書人數可知某一班級或年級看書的狀況，亦可作教學方向之重要參考。

第八節　國民小學圖書館建築規劃

一、前　言

　　學校圖書館的服務已由過去的消極等待而變為現在的積極推介，並已直接參與各個學生的培養和發展工作，在現代學校教育計劃中，學校圖書館的工作，實際上已超過以往支援教學的服務機構，學校圖書館館員在積極的服務方面已有下列功能：

　　㈠圖書資料的諮詢者

　　㈡休閒生活的鼓勵者

　　㈢訓練學生利用圖書館及一切資料

　　㈣指導學生作休閒與求知的閱讀

㈤啟發各個人的天才興趣與靈感

㈥協助教師推行教學計劃

㈦輔助教師在職進修

因此，為了達成上項功能，圖書館必需蒐集各種圖書資料器材，且越多越好，這些資料器材的廣泛使用，形成保管、置放、分配、使用與指導的問題，如何有效的規劃設計對圖書館的運作與功能的發揮影響至深且巨。

二、規劃委員會的成立

學校圖書館的建築設計最好在建校藍圖中即已鉤畫出來，而為全校建築的一部份，這樣才不會顯得突兀而不協調，至於正式建造時必需聘請相關人員組成委員會，以大家的智慧結晶，共同完成萬千學子所繫的巨構。

學校的校長、圖書教師、總務主任為當然委員，此外，建築師、圖書館學者、教育學家及美術教師都應延聘，會計人員、鄰近公共圖書館館長和家長委員也聘為顧問，因為：

㈠校長為一校之尊，肩負施政成敗之責，缺他不可。

㈡圖書教師為實際運作的人，他必需提供館內運作實務與瞭解整體設計過程之關係，以便來日處理之需。

㈢總務主任將來施工的負責人，對於工程品質與安全極應瞭解，以為執行工作之依據。

㈣建築師為負責館舍結構安全的設計者，圖書教師與圖書館學專家把圖書館運作所需空間與整座館舍圖書資料與讀者之運動動線詳細告知建築師，他再以其建築的專業去設計調配，以期最

理想的境界。

㈤圖書館學者對於整個圖書館的運作最為清楚，讀者與館員的運作，資料的儲存與流動，各項器械的安排，都需圖書館學者的協助，因為圖書教師可能經驗尚不足，甚至許多學校的圖書教師未受圖書館學專業訓練，這方面的瞭解較欠缺，需圖書館學者的幫忙。

㈥教育學家在於室內設計如何配合教育理論，因為國民小學圖書館也是一個教學的場所，館內各項設施都不能違背教育學的原理原則，以發揮教育功能。

㈦美術教師對於『藝術』的涵養較高，館舍的外貌及館內館外的配色傢俱的顏色都需美術教師的協助。

㈧會計人員掌管審計業務，一切經費的編列與預算的執行都需合法，唯有會計人員之參與，方不致有誤。

㈨鄰近公共圖書館館長可能有較豐富的建館經驗，也是最佳的諮詢人選。

㈩家長委員是學校出錢出力的大幫手，直接受惠的也是他的子弟，也應讓他有所參與。

從上列說明可知圖書館的建築完成絕非由某一人的智慧所能擔負，而需集圖書館學、教育學、藝術家與建築師等通力合作完成的巨構，否則該館必有許多可議之處，甚至形成使用上之困難，屆時再行變更設計，挖鑿改修，延誤時機，造成莫大之損失。

三、建築師的選擇──競圖

今天已進入精密分工的時代，一切事務都走上專精的專業專

家化，圖書館的建築當然也不例外，所以，委請合格有執照的建築師為第一要務，然而，在市街上許許多多掛牌的合格建築師中如何取捨實難拿捏，況且又有諸多的人情勢力請託，實非一個小小的國小教師所能擔負的。

　　但是，如果學校把這份榮譽賜給了您，您也不要謙辭，因為惟有接受挑戰才能突破，只有突破才會精進，您經得起這考驗嗎？

　　首先靜思寧想，請教前輩與專家，諸如優良建築師的條件，公認完美的圖書館建築，您也可以找些有關的參考資料，如美國圖書館協會學校圖書館建築設計委員會所蒐集的各種中小學圖書館建築藍圖式樣畫片以及各新建與改建圖書館的講評論述，當然也應找些有關建築原理的書籍看看，然後把一些重要的部份用筆記、卡片或電腦記錄起來，最後加以統整、篩選、過濾，提出委員會討論，決定選圖評審標準，草擬有關競圖須知，經委員會審查通過後正式公告競圖（也許您認為這是總務的事，何必多管，如交總務處理，蓋好後將是普通教室或房屋，而不是圖書館，您使用時還要大費周章）。

　　競圖須知除一般工程項目外，應提示下列各項：

　　㈠新館建築計劃：詳述館內各分區及其性質與用途，如參考區、書庫、教學區、非書資料區……

　　㈡設計原則：

　　　1.節省人力，以最少人力即可開館服務，且不失管理之責，如一人服務。

　　　2.活動隔間，可供彈性使用。

　　　3.節約能原，自然採光與通風酌予採用。

4.配合環境，造形美觀而具風格。

至於競圖須知除一般工程規定外，必需包含下列各項：

㈠設計說明：包括設計構想與含意，讀者動線與館員工作動線，各分區面積計算。

㈡圖樣：應含基礎設計、各層平面圖、各面立面圖、透視圖。

㈢模型：最好是可分層拆裝含內部分區配置之模型。

競圖的目的在於獲取一理想的建築設計與建築師人選，同時也是符合審計法的必要過程，至於審圖則應請規劃委員會全體委員參加，集衆人之智慧，以獲最理想之建築。

四、館舍的規劃

㈠ 館舍的位置

經濟發展使我們擠身『開發國家』之林，經費預算之充裕使政府有能力作『整體規劃』的建築，所以，近年來台北市出現幾所完整規劃之國民中小學，台灣省也逐漸在做『校舍更新』，這是可喜的現像。

不論整體規劃或作局部更新，我們都應該把『圖書館是學校的心臟』這句銘言牢記在心，以爲校舍規劃設計之準繩。

圖書館是學校每一位教師與小朋友都會去的地方，而且是經常去的地方，所以，如果以獨立設館時，最好選在學校的輪輻地帶，也就是學校的中心，學生自教室到圖書館的距離越近越好(如圖一)，因此，圖書館以設在四樓以下爲原則❷，最好於地面二或三樓，因爲一樓大都爲一般行政單位，方便家長或社區人士

洽商而設計，同時低年級大多也置一樓，他們較少到圖書館，二或三樓較不煩雜，接近中高年級，方便他們課間就近利用，且為安全起見(如圖二)，圖書館之任一點到達樓梯或出入口應不大於三十公尺❷。這樣，在緊急或意外發生時，沒有安全之顧慮。

　　若考慮開放社區利用則宜置地面一樓且有獨立出入口，以免影響學生上課，因為社區民眾成員多樣化，有老年人、社會青年，甚至幼兒，他們利用圖書館的時間不一致，如於二、三樓，他們出出入入影響學生上課，得不償失，除非空間無法利用，否則，盡量不要用地下室，因為地下室潮濕、滲水、漏水、採光不良、通風不易，都不適宜圖書館的設置，況且高年級教室大多位於三、四樓，下課時間短暫無法抵達，也談不上利用了。

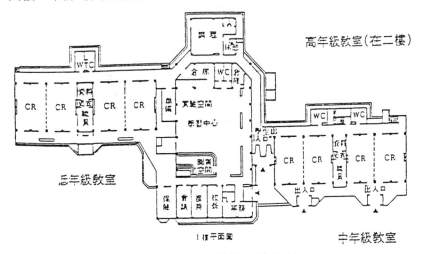

圖六　日本加藤學園初等學校一樓平面圖
學校中心為多用途學習中心配有梯狀圖書
館自然科實驗室及美勞教室
　　（資料來源尚林出版建築典例）

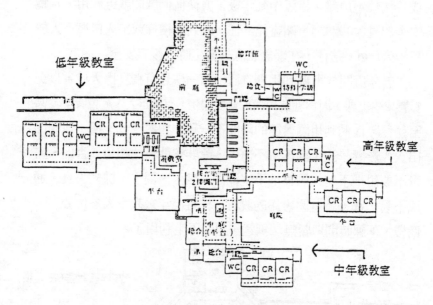

圖七　日本七戶城南小學平面圖
圖書館大樓位於學校中心（二樓）
（資料來源尚林出版建築典例）

　　如以學生爲主要服務對象，最好設計於中高年級教室附近，
因爲中高年級的學生利用圖書館的資料來研習功課者較多（圖書
館利用教育正常發展時），一則已經學得較多圖書館利用技能，
二來其教材與課程涉及範圍較廣且深，除教科書外尙需其他資料
較殷切，同時，中小學的課表無『空堂』或『自習』的設計，僅
有的『課間休息』，短短『十或二十分鐘』，除此，只有利用
『午休』了。

　　設在近中高年級不是『歧視低年級』嗎？年紀小又要跑比較遠，似乎不公平，然而，想想一年級剛到學校，一切都感陌生，待熟悉已將過半學期，他們對圖書館利用尚在萌芽階段，眞正進圖書館找尋資料的次數較少，大都停留在『集體進入』階段，因而對圖書館的利用較不殷切，到中年級，對圖書館利用知能有淺近的認識與瞭解，教材與課程也接近兒童生活，『圖書館』對他們的需要在於『閱讀課外讀物』，甚至以『故事』爲主，這就是個人認爲圖書館應接近中高年級的重要原因。

　　若環境許可，以設在中高年級與自然科和社會科教室之間最爲理想，因爲到自然與社會兩專科教室上課時，利用圖書館的資料最多，如能就近使用，可收一舉兩得之效。

　　以目前情形來說，獨立建館機會較少，大都附建於活動中心、禮堂、專科教室，甚至地下室，也有將舊有教室拆除隔間改裝而成。在台灣省各縣市較鄉下日據時代留下的舊學校，校舍大多『一字形』建築，班級數多一點的則爲『ㄇ字形』或封閉式的『口字形』，這種建築要選中心實屬不易，所以在校舍更新計劃規劃時宜特別留意。

(二)　館舍設計

1.設計原理

　　過去在建築設計上崇尚『對稱』、『審美』、『強度』與『穩定』，將建築視爲高度『藝術』，蓋因受天然建築材料所限也，今日科技日進，建築材料已有長足之進步，昔日僅有磚石木材，而今有鋼筋（或鋼骨）混凝土，對『大跨度(大空間)』之設計是一巨大之突破。

　　所謂『大空間』（One Room）觀念是建築界喜歡的用語，意思是盡可能捨棄『隔牆』，換句話說，在一大建築物中，減少『實牆隔間』，以傢俱或根本就沒有任何隔間，甚至連柱子也盡量減少，最好連柱子都不出現於房間中，在開架式的圖書館裡，『讀者』與『資料』接觸頻率日增，搜尋查檢資料日切，沒有了隔牆，非但開闊視野，使身心開朗，而且減少許多因隔間所造成的冤枉路，同時也可以因資料成長或傢俱增添而隨時改變格局或排列，不受任何影響，以彈性利用空間。這種觀念首先由美國麥克德耐特（Angus Macdonald）與蓋茲（Alfred Githeus）兩位博士提出，於1953年在美國愛德華大學圖書館付諸試驗，而於1955　年落成，他們的構想是：

　　(1)圖書館的每一層空間除盥洗室電梯間及特殊用途房間外，就是空無一物，仿如一個大房間。

　　(2)每層均可依不同的需要而予設計安排傢俱的陳列與調整，而不受建築之干擾。

　　(3)館內各項活動可不固定一處，彈性設計。❷⁹

　　以目前來說，大空間設計的建築，有下列幾種建築設計可供參考：

　　(1)『無樑板』(Rober Maillart)設計也稱『平板』（Flat Slab），因鋼筋混凝土材料中佈有拉力之材料，結構上不用樑而代之協力支持之柱，稱之爲『協支柱』(Mutural aupports)。無樑板又稱『香菰式樓板(Mushrroom Floor)』，係以鋼條作網狀佈置(Bar in lattice form)混凝土材料，防空建築上認爲『最耐轟炸』之結構板。

　　(2)『擱柵樓板』（Joist Slab）又稱『小樑樓板』，是由鋼筋混凝土的『大樑』支承無數的密集的『小樑』，小樑與樓板澆置成一體，『樓板的載重』由『小樑』傳至『大樑』，再由大樑傳至『支柱』上，因此，可以減少『支柱』之數量而達較大跨度之設計。在小樑與小樑間形成許多『方格子』，所以又稱為『格子樑』，這方格子裡可作燈飾與隔音之設計，如在頂樓可作反樑設計，於方格子中置空心磚、五腳磚或泡沫混凝土等隔熱建材，作隔熱之用。

　　(3)『中空樓板』設計(Hollow Slba)即將旋楞鋼管(Screwpipe)平行排列，沿『管向』配置『主筋』，再於『橫向』配置『補助鋼筋』使其連結一體，兩鋼管間主筋通過之混泥凝土部份即形成『工』字樑（Ⅰ–Beam），因此，中空樓板可視為沿『管向』之『工』字樑集合體，由材力可知工字型斷面為一種良好之撓曲構材斷面,甚合力學觀點。其優點如下：（圖八　中空樓板『工』字樑集合體剖面圖）

　　(a)用旋楞鋼管為欄管置於水泥中形成中空，減輕樓板重量，俗稱呆重。

　　(b)樓板身兼小樑作用，增建物淨高，節省建築費用。

　　(c)大跨度，無樑柱，可任意調整隔間，便於室內設計之變化。

　　(d)中空具有隔音與隔熱之功能。

　　(e)旋楞鋼管之中空部份可兼作空調水電音響與電腦等配管與配線之用。

　　(f)天花板與地板一樣平滑，美觀平整，可省裝修費用。❸⓿

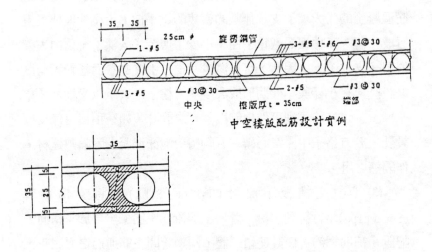

圖八　中空樓版「工」字樑原理

　　以台北市北投區清江國小圖書館來說，它以一棟四層樓建築的第三樓為圖書館，全棟採『中空樓板設計』，所以，在長三十六公尺，寬十二公尺的寬廣館內（四個半教室大），看不見一根柱子，也看不到一根樑，天花板與地板一樣平，使用起來非常方便，尤其是隔音效果特別好，不論樓上有任何聲響，都不受影響，書架或閱覽席次的安排設計，均可依最理想的方式，不受柱或樑的任何干擾。若某日發現錯誤或不妥，可以立即改變設計，因此，筆者以清江國小圖書館之經驗，鄭重推薦『中空樓板設計』作圖書館之建築設計，將是最理想的建築。（筆者原服務於該校，負責該館之建築規劃、發包、施工與館務之經營）

2.室內採光

　　圖書館內的各項活動中，以閱讀書寫為大部份，因此，室內

採光爲一重要問題，然而，室內資料又以紙質印刷品爲多數，如日光直接照射，有損使用年限，所以必需愼重思考：

(1)自然採光：

　自然光是最爲親切而符合心理的一種光源，同時免費供應，且取之不盡，用之不竭，設計時只要注意方向之外將窗戶多開即可，然而，月有圓缺，日有陰晴，光度無法隨我們的需要而取捨，過度的直射，紙質的書籍經不起紫外線的照射而變質，變黃而蝕脆，影響書籍壽命，所以，設計之時，宜把書架與窗作適當之間隔，以防直接照射；台灣地處颱風帶，窗戶過多宜注意風速與雨勢的強大，否則，因省採光經費而窗破書亡，得不償失。

(2)人工採光：

　人工採光需要一筆設備與經常的支出，過去大都採『白熱燈泡』，雖然它耗電且光度似不強，但是對眼睛的傷害可減至最低，且裝置費低，現在大都改用『日光燈』，光度強而耗電量少，惟因它的閃爍影響眼睛甚大，台灣的學生近視率可能爲世界之冠，這可能是家庭學校均因省電所造成的後果，值得三思，由於人工採光可隨光度之強弱而調整，以補自然採光之不足，又得兼顧讀者的健康，也須經費能負擔，所以，在適當場所開窗之外，天花板以一般日光燈照明，且以雙管或四管等多管裝置，因距離較遠又多管交叉閃爍，可能對眼睛傷害減低，而於閱覽桌置『自然光日光燈』，光束穩定，以保眼睛健康。

　不論自然採光或是人工採光都應注意光的強度，計算光的強度單位是呎燭光（ 英制Foot Candle ）或米燭光（美制Meter Candle又稱勒克斯Lux），一呎燭光約等於10.76米燭光，各國標

準有所差異，依據我國國家標準CNS規定圖書閱覽室、書庫、研究室、教室等均在500—700　LUX間❸，而圖書閱覽室可以依局部照明取得該照明度，換句話說，如室內照明不足該標準時，可以在閱覽桌加裝燈具補足。

至於天花板、牆面與地板之設色與材質都影響室內之亮度與氣氛，一般天花板與牆壁都爲RC灌漿建造，因此，爲補『蜂窩』而以水泥沙漿補平後用水泥漆或油漆等塗料裝飾，塗裝塗料時宜注意顏色之調配，應與閱覽桌椅之顏色相調和，牆壁可作適當的『彩繪』，甚至大膽的以兒童作品繪製，更形『兒童化』，地板則以塑膠或橡膠鋪設爲佳，毛質地毯因台灣亞熱帶氣候潮濕易『長蟲』與『發霉』，影響學童健康（如有空調設備則可考慮），如鋪設塑膠或橡膠之地毯，則可配以適當之顏色，館內氣氛更佳（塑膠或橡膠地毯因具彈性而有防噪音之功效）。

3.通風設計

室內空氣清濁繫於通風設計之良否，通風系統又受溫度、濕度與空氣的流速所影響，分別敘述如下：

(1)溫度：溫度的高低直接影響讀者運思，爲要提供優良閱讀環境必有適當之溫度，一般說來台灣亞熱帶氣候以攝氏二十至二十五度爲宜，低於二十度似稍冷些，尤其在炎夏室外超過三十度，進入館內突然下降十度，不太能適應（花師圖書館曾以一十九度測試一個月，反應太冷，要外套以防感冒），至於圖書資料對於溫度的高低都受影想，太高氧化快速而變色，尤以手稿爲最，溫度太低，裝訂使用之膠品變質生硬脫膠，因此，爲確保讀者與資料之安全，最好裝設中央空調，並控制室溫在攝氏二十至二十五

度間。

(2)濕度：濕度的高低也影響讀者的情緒，倘濕度太大，易感厭煩疲憊，難以專心凝神，對於紙質資料而言，濕度大紙張迅速吸收水分，使讀者手上的油污汗漬與空氣中的灰塵，加速化學反應，傷害書籍，甚至發霉長蛆，而非書資料的電腦磁片，更應小心，否則資料全毀，無法運用，損及讀者權益。所以，為期使館內保持40％至50％的濕度❸❷，最好置除濕機，但宜將除濕機所得水排於館外，方不至留於館內循環，失去除濕效果。

(3)空氣流動：圖書館是人人常往的地方，所以，人一多呼出二氧化碳就多，若二氧化碳在空氣中的含量超過0.3%時，就會令人頭痛與疲倦的感覺，不論工作或研究學術都不適，因此，以保持含氧21％、含氮78％、含二氧化碳0.03％之空氣標準為宜，而空氣流動的速度以每分鐘15至20呎為佳❸❸。

4.噪音防範

寧靜的環境是工作、閱讀、研究所必需，館內的音效是值得探討與研究的，可能發生干擾的噪音如何設法避免，館內各室的播音與音響如何達到樂耳而令人感到柔和，事先宜周密慎思，一般噪音可能來自館外館內辦公室工作人員、讀者與機械響聲，不論來自何方我們均應設法去除。

(1)室外噪音於窗戶設雙層玻璃：建館之初最好選擇遠離吵雜噪音之所，如飛機場、公路、鐵路或工廠，如因環境不允許，只好以建材設計來防止，實牆只要稍厚即有隔音效果，窗戶則以加厚且裝雙層玻璃，藉以隔音，同時館外種植多葉之常綠喬木，樹葉也是一種良好的隔音體，因它可將聲音反射而阻隔。

(2)室內人員的吵聲運用吸音板來去除：館內天花板及各隔間之屏風最好選有吸音功能之建材，出納台、服務台、諮詢台與工作人員的辦公室均為人員交換意見較多之處，難免干擾讀者，如以吸音建材區隔，則可減去大量噪音。

(3)機械間安裝消音設備：冷暖氣電器及其他各種機械均可能發生巨大聲響，因此需加裝消音設備❸❹，使響聲隔絕不入侵於閱覽區，確保讀者之安寧。

　㈢　空間規劃

　　服務讀者是每一圖書館的共同宗旨，但是，今日學校圖書館身負培育優良讀者之重要責任，因此，在設館之初，就應有妥善的規劃，在各大原則有一共識之後，我們來討論空間有關的種種，以作參考：

　　1.大　門

　　通常大門是供讀者進出的地方，非但要適中，而且要醒目大方，這是門面，然而，就資料的安全性來說，閉館後宜上鎖，且應由裡面鎖，工作人員宜由工作門出入，同時，應另設安全門，以為緊急時使用。

　　2.門　禁

　　讀者由外邊進入圖書館一定要經過大門，通常在大門與大廳之間有一道管制，換句話說，進門之後尚可考慮是否要進館，決定入館者通過這道管制即進入圖書館的大廳，為了節省人力資源的浪費，出入口的管制最好僅有一處，以便在假日或人員無法調配的狀況下，只有一個人也可以開館服務，門禁的管制最好以刷卡電腦管理與圖書安全系統並用，進出刷卡則可由電腦管制人員

（讀者）進出情形，還可作各種統計資料，以爲教學與行政上的參考，尤其是夜間閉館與假日前之休館，如館舍較大或房間較多，讀者在館內發憤忘『時』抑或讀睏了而睡著，他們都不知離館，館員必需詳細走巡，耗時費神，況將閉館時可能借書的讀者又特別多，難以兼顧，如有門禁管制系統，只要查進館人數與出館人數是否相符，若不符時，立即依系統查出何人仍於館內，利用廣播呼叫其姓名即可，以節省全樓查巡之苦；圖書安全系統則可協助檢查讀者所攜出的圖書資料是否已辦出借手續，而不需翻檢讀者的書包、提袋，引起不必要的誤會與困擾。

如果能有較大的空間，從大門一進來，應有較大的廳堂或視野，所以，門禁系統設置於不超過大廳深度的四分之一爲佳，如無合適的空間，則留與門一點五至二公尺之距離爲度，這樣，讀者入館前可將雜物置於存物櫃，免重物在身，不便閱讀。

3.存物室

圖書館如對外開放時，務必設存物室或衣帽間，以方便讀者，將過於龐雜或大件的物品存放，尤其是禁止攜入館內的食物與飲料，需有存放之所。

4.出納服務台

出納服務台是與讀者接觸最頻繁也是讀者進館最先到達之處，宜置明顯又方便之處，通常它兼出納與簡單詢問工作，如有裝設門禁與圖書安全系統，最好把詢問與還書部份置於系統外，這樣一些只要還書或詢問簡單問題而不擬進館內的讀者就不必經門禁系統進館辦手續，借書部份置於裡面，出借圖書資料一定要辦手續才准離館，以保資料完整，便於服務讀者，也是讀者的權益。

5. 目錄區

傳統的圖書館有許多目錄卡片供讀者查檢，讀者也僅有這一線索最方便了解館藏，因此，通常它都會在大廳醒目的地方，若館藏數量較大時，因存放目錄的目錄櫃太多，就只好另闢一處了。

現代的圖書館逐漸走向自動化，目錄卡片逐漸被線上查詢系統所取代，因為目錄是每天在生產的，它的印製已經很費時日了，還要騰出人力來『插卡』，插卡的工作非但耗神費時，而且非常傷眼與傷神，同時數量多時又佔空間，近年來發展圖書館自動化，更因網路系統的開發而方便無比，『線上查詢目錄』因而誕生，它只要幾部（ 依讀者使用量決定數量）工作站與主機相連，所有目錄資料均置主機之硬碟中，一般只要數秒即可查到您所需資料，速度快又省空間（ 僅置一兩張桌子放電腦即可），更省製卡費用又省插卡人力，也方便讀者，真是一舉兩三得，何樂而不為？

6. 閱報區

報紙與電視及收音機可同時放這裡，報紙用報夾或閱報台，電視與收音機則用無線耳機，這樣使用時就不會干擾他人，這些都是日常生活的資訊，也是生活不可或缺的，因此，利用的讀者也較多，通常我們會規劃在大廳而與正式的閱覽區相隔，以免與學術研究相干擾。

7. 行政（工作）區

這是館員工作的所在，我們應將它與讀者分隔，這裡包括讀者所歸還而未處理的讀物資料、採錄組剛購回待處理的讀物資料、編目組正進行分編中的資料，以及工作人員的辦公場所，未處理的讀物資料不宜與讀者接觸，工作人員的辦公場如有讀者進入必形

成干擾，所以需要隔離，同時，書商或一些工程人員也會來館，他們前來的目的與讀者不同，也應與讀者分開，基於以上原因，工作區的出入應與讀者分開，才不會混雜難分，若為一人圖書館，則行政區可與工作室合併，以便照顧。

8.參考區

參考工具書是一個圖書館的心臟，這些專供參考而不外借的書籍資料都放置於參考區，這裡也是教師引用教學資源最頻繁之處，因此，它宜置於讀者最易到達之處。

9.書庫兼閱覽區

目前各中小學圖書館都已採『開架服務』，因此，書庫與閱覽區合而為一，規劃設計時宜注意書庫中書架的位置與採光，也注意空氣的流向，更注意書架之間距，以防學童蹲下取（或查書）書而碰倒，如空間足夠時，應備學生數10％的閱覽席，如不足時，至少也要50席以上。

10.教學區

實施圖書館利用教育培育優秀的圖書館利用者是國小圖書館設置的重要任務之一，因此，館內至少需規劃『可容一個班級學生數』之教學空間，以為班級實施『圖書館利用教育』之用，最好有活動(拉門式)隔間，平時敞開為閱覽空間，上課即為教學區，最好備有活動白板可兼作螢幕，同時應有放影與放音設備，備無線耳機，以免視聽資料運用時聲音之干擾。

11.表演區

講故事、皮影戲、木偶戲都是小朋友最易接受的，最好在教學區撥出一角作表演之用，這一角可用各種尺寸的木箱組合，將

木箱外面黏上顏色地毯，視使用情形而組合成各種形狀，如平面的舞台，階梯形的合唱台，也可以用為作品展或兒童休閒之用。

12.非書資料區

非書資料將是兒童的最愛，而且其產量也正急劇增加中，錄影與錄音資料是目前較豐的產品，影碟光碟或微片亦在成長中，所以，放影機、放音機、雷射唱機、影碟機、光碟機和微片閱讀複印機，不論是個人使用或共同使用區均需規劃備用。

至於館舍的大小，依我國國小設備標準與美國中小學圖書館標準相比較(詳附表)，兩者在空間的比率相差無幾，雖然有此明文標準根據，我們仍需作未來發展考量，若單獨設館時，最好以本校最大容量班級數為設計目標，分期設計或一次完成，如果遷就目前現況設計規劃，必需預留來日發展空間，以為未雨綢繆。

學校規模	300人	600人	1200人	1800人	2400人
圖書館面積	1.5 教室圖書室	2.0 教室圖書室	2 教室作圖書室或獨立設館	獨立設館三間教室	獨立設館四間教室
館內規劃	閱覽室工作室	閱覽室工作室	閱覽室工作室書庫視聽室集會室	閱覽室80工作室書庫視聽室50集會室	閱覽室100工作室書庫視聽室50集會室
閱　覽　席	50	50	50	130	150
班級數	6班以下	7-12 班	13-24 班	25-36 班	36班以上
備　　註	工作室兼辦公室	工作室兼辦公室	20班以上獨立設館	視聽室可兼作活動室使用	

我國國民小學校圖書館館舍設備標準(民70年公佈)

學校規模	學生人數	200	500	1000	2000	3000	5000
圖書館人員	專業館員	1	1	2	4	1	1
	助理人員	兼任	1	1	2	3	5
閱覽室	每人面積	25/fxf	25/fxf	25/fxf	25/fxf	25/fxf	25/fxf
	最低席數	班+ 20	75	100	200	300	500
	間　數	1	1	1	2	3	5
圖　書	最低種數	1,700	3,500	5,000	6,000	7,000	8,000
	最低冊數	2,000	5,000	7,000	10,000	12,000	2,000
	每人書費	US$1.5	US$1.5	US$1.5	US$1.5	US$1.5	US$1.5

美國中小學校圖書館舍標準（面積單位爲呎平方）

五、傢俱設備的規劃

㈠　書架與期刊架

書架爲圖書館中主要傢俱設備之一，爲期適合國民中小學生之需求，除標準規格設計外，宜注意書架材質、色彩、高度與外形，以吸引他們，茲分述如下：

1.材　質

目前市面上書架的材質可分木製、鋼製、塑膠三大類，分述如後。

⑴木製：就是以木材爲基本材料製造而成，又可分實木、夾板與木心板。

a.實木也就是以實際木材切割製成木板，再由木板釘製而成，通常木板經陰乾或乾燥處理，以防變形，再刨光磨平而後上漆，如

木質紋理清析者，以透明漆而保原木色澤爲佳，否則顏色以小朋友喜愛之鮮豔而不刺眼，並與大環境配合爲原則，不然過於突兀顯得不協調，實木如防蟲處理得當，且各接頭如以竹釘、木釘或卡榫處理，可保經久不壞，質感觸感均佳，置於室中，柔和而溫暖，爲最理想之書架材質，但價格稍昂，非一般圖書館所能負擔。

b.夾板又稱合板，由木材刨成薄片後組成，即由三片或五片或更多，用膠水等黏劑將刨出之木材薄片分紋理縱橫排列膠合而成，俗稱三夾板與五夾板，這些夾板經乾燥、防水與防蟲處理，若處理過程完整（如加蠟以防水），有如實木一般。

c.木心板爲夾板中間夾著一些實木（質料較差的木頭），外層再以貼皮（將紋理較美的原木刨成很薄的薄片）處理，外觀嚴然與實木一般惟承重較差，做成書架時跨距不宜太大。

(2)鋼製：先行製模而後以鋼材壓製而成，書架以放置圖書爲主，因此，必需住意其承再量，每一書架應達200磅以上爲合格要件，否則置書而形成彎曲，造成危險，影響讀者安全，非同小可，不能不注意，鋼製書架依外形與用途可分下列幾種：

a.單面書架：這種書架爲"L"形支架，用於靠牆處，以節省空間，每架寬90公分，可視牆的寬度而自行組合，至於層數則需要求廠商先行製模壓製。

b.雙面書架：這是最普遍使用的鋼製書架，支架爲"⊥"形，中央直立之支柱長短隨層數而定，除一般規格外，層數特別者則需要求廠商先行製模壓製，每架寬90公分，可視館舍寬度與走道之多寡自行組合，異常方便。

c.密集式書架：如果圖書館的空間有限，館藏又不斷成長，

只好把罕用資料集中置一處，以密集典藏，換句話說，縮小兩書架間爲『零距離』，將書架底部裝上二至三條軌道，以電動移動書架，每架均設按鈕與燈號，如讀者需使用時，查出資料之編號而知置於何架，於該架之按鈕一按，即可移動，方便讀者進入取書，此時燈號亦亮，讓另一讀者知曉他在書架中，暫時不要移動書架，以免因移動而被夾住發生危險。

d.複柱型書架：這種書架目前市面比較少見，它把書架的兩側用兩根支柱來承再書重，如雙面書架則可見六支支架，以確保安全，由於造價較高，市場較爲有限，因此，產量較少，不易看到，且建材日趨進步，設計精良，安全性越高，爲單柱型所取代。

不論單柱或複柱型鋼製書架，爲期書架兩側之美觀，視經費之允許與否而加製『封板』，封板的材質大都以木製爲多，尤其是夾板爲最，因封板主要目的是爲美觀與標示，無承載之力，鋼製過於笨重，徒增重量，因而較少用。

(3)塑膠製：塑膠是近年的產品，有些商人將其硬度增高改稱塑鋼，再用射出成型的原理造成各種尺寸的矩形箱，也可以製成木板狀，嚴格說來這板狀的塑膠是中空的，只不過在中空間加部份細支柱，以支撐壓力，由於它可配成各種顏色，又是現成的各形箱狀物，各國小及公共圖書館的兒童室普遍用它來組合成書架使用，因其形體固定，不易隨圖書版面大小來調書架的高低，爲其致命傷，且塑膠爲石化製品，易受高溫而變形與變質，故使用前需三思。

(4)角鐵或角鋼切割組成者：在經費困難時可用這種方法，角鐵或角鋼市面容易取得，且價格便宜，以一定的長度裁剪，帶回

以螺絲固定，在輔以薄板即成，由於其承載有限，寬度不宜過長，且缺底座而穩定性較差，不宜過高，以維安全。

2.高　度

書架之高度要注意到讀者，對於國民小學的小朋友來說不宜過高，最好以三層的矮書架為宜(110cm)，而國民中學的學生則可稍高些(150-180cm)，因為我們大都採開架服務，讀者需要自己到書架去取書、看書、查書，以小朋友來說，如書架稍高些，小朋友看不到書架上的書，也拿不到書架上的書，如勉強去拿，易使書架倒塌而發生危險，這是我們所不願看到的。

如果限於空間的不足必需採較高之書架，則需備單層雙層或三層之圖書館專用梯，這種梯的設計較特殊，梯腳裝有伸縮彈簧的滑輪，移動時利用滑輪滾動省力，站上去時滑輪受壓而縮起變為固定，以免滾動而滑倒，這是一種安全裝置，除非專供教師使用之書庫，否則書架高度不宜超過200公分，以確保兒童安全，若超過200公分專供教師用之書架頂端宜用連接桿連接固定，以防因書架過高，重心較為不穩，地震或讀者碰撞時易因搖動而傾倒，造成傷害。

3.間　距

我們大都採開架服務，讀者親自接觸資料而予確認，兒童對最下層之書籍常蹲下去找，因此，我們要考慮到蹲下去不會碰到背後的書架，否則，因一兒童蹲下而碰倒，形成書架的連鎖倒下，因而壓傷或造成意外，將難過一輩子，您說對否？所以，兩書架之淨寬間距最好大於120cm。

4.外　形

學校圖書館的讀書者年齡層較低，所以，『奇』是吸引他們的一種方法，除一般傳統的書架與期刊架外，我們可用圖形拼合或外形具卡通或動物形狀者，這些對小朋友較有親和力。

(二)　閱覽桌與坐椅

國小學生使用的閱覽桌可用『梯形桌面』設計，一來形狀與一般方形或矩形不同以吸引學童，再則可依梯形面作各種組合，在討論、研究或圖書館利用教學時非常方便，坐椅也可以多角形沙發代替，同時，閱覽桌與坐椅的顏色宜採活潑鮮豔而不刺眼，使氣氛不沉悶而有朝氣。（如圖）

梯型閱覽桌，可隨時因地置宜；佈置成不同的幾何圖形，對閱覽環境生氣的營造，很有幫助。

　　㈢　視聽卡座

　　不論是個人卡座或共同觀賞雅座，隱匿性要高，且不干擾他人爲原則，同時，坐位宜較舒適些，因爲欣賞視聽媒體時間通常較長，過度堅硬坐椅有不適之感。

　　㈣　影印設備

　　國小學生雖然年紀還小，但是，『使用』與『蒐集資料』的方法我們得教他，所以，影印機的使用也是教學的一部份，適用於國小讀者的影印機就要愼加選擇，個人認爲應有下列條件：

　　1.機身不宜過高，小學生使用容易。

　　2.功能簡單，小學生容易學習，也容易操作。

　　3.性能要好，故障率低，如常故障，減低使用慾。

　　4.置圖書館內參考室或方便之處。

　　5.可刷卡或投幣，由學生自行操作。

　　6.最好是紙張不論大小，操作不論放大縮小都一樣價錢，免找零之苦。

　　7.明顯標示使方法與操作步驟。

　　應指導小朋友影印時，以紙片夾於資料需印處，勿於資料上書寫任何記號文字與書頁折角，以保資料安全，延長使用年限。使用完畢請歸回原處，方便自己，也方便別人。

四、結　語

　　過去，一般學校的建築，在台灣省各縣市（尤其是鄉下）往往受限於經費，台北與高雄市則雖經費較爲寬裕，卻受校地取得之不易所限，均未能於設校之初，即從事完整之規劃，所以，校

舍之建築，由『一』字形開始，爾後逐漸增進，連接成『Ｌ』字形而『Ｕ』字形，最後圍成了『口』字形。這種建築非但採光、通風對各面均有不良之後果，而且形成運動場被圍在中央，場上的噪音影響教學至鉅，甚至在防空、防火或緊急疏散上倍感困難，學童安全上頗為憂慮，又因分年逐次建築，形成各次建築間相接與因下沉速度之不同而產生之裂縫，致形成斷裂與漏水，更增校舍安全之變數。

因此，若能於設校之初，先行規劃與評估，將社區發展、社會期望、教育思想均納入考慮，則校地之大小，學生教職員之數量，各項設施與房舍之配置，皆予最妥善之考量，並對教學機能與發展型態作全盤分析，訂定有系統有秩序的發展計劃，以為設校藍圖與遵循原則，雖因分期完成而不失完整，不因校地所限而無法發展，使學校教學得以因學校環境完美而充分發揮其功能。

以目前情形來說，國民小學圖書館獨立建館機會較少，大都附建於活動中心、禮堂、專科教室，甚至地下室，也有將舊有教室拆除隔間改裝而成。

如由舊有教室拆除隔間改裝而成，首先要考慮教室結構是否還可承載，若承載力不足，請將書庫置於地面一樓較安全，否則，書的重量超過而地板龜裂，甚而倒塌，造成危險與意外，將是無法彌補的缺憾。**㉟**

在台灣省各縣市較鄉下日據時代留下的舊學校，校舍大多『一字形』建築，班級數多一點的則為『ㄇ字形』或封閉式的『口字形』，這種建築要選中心實屬不易，所以在更新規劃時宜特別留意。

　　教育的普及與成功，驅使經濟發展，使我們有充裕的經費預算作『整體規劃』的建築，所以，近年來台北市的完整規劃之國民中小學誕生，台灣省極力推展『校舍更新』，這是可喜的現象。

　　不論整體規劃或作局部更新，我們都應該把『圖書館是學校的心臟』這句銘言牢記在心，以爲校舍規劃設計之準繩，圖書館是學校每一師生都會去的地方，而且是經常去的地方，所以，如果以獨立設館時，最好選在學校的輻輳地帶，也就是學校的中心，學生自教室到圖書館的距離越近越好。

　　圖書館的建築非同於普通教室，因此，當館舍建築正在進行或完成之際，可能有許多單位部門都想在館中分一席之地，而使面積減少，不敷使用，或分割零散，難以規劃，例如輔導處的晤談中心、特教組的資源室、校史室……所以，爲確保圖書館之完整，我們應作如下的準備：

　　1.讓校長及學校行政人員充分瞭解圖書館在整個教育計劃中的重要性。

　　2.在教育法令中明定圖書館的地位。

　　3.在各社團中鼓吹並列舉普遍發展國小圖書館的理由，爲國小圖書館作後援。

　　4.在師資培育的師範院校中，將圖書館學列入必修課程，使國中小教師均受圖書館學薰陶，瞭解圖書館的使用方法。同時也將圖書館建築列入課程，以作優良圖書教師之準備。

註　釋

❶　拙著，國民中小學圖書館之經營，台北市，台灣學生書局，民80修訂
　　一刷。

❷　中華兒童叢書每冊都分類編號，但它僅分文學類、科學類、美術類、
　　健康類，再細分為低年級、中年級、高年級與一年級、二年級、三年
　　級、四年級、五年級、六年級，然後才是該書於該類及年級所屬的序
　　號。

❸　依教育部於民國七十年頒佈的國民小學設備標準中的圖書設備標準規
　　定：基本圖書應為六千冊，每增一學生應增十冊，如為六班以下之學
　　校每增一學生應增二十冊。詳見教育部國教司頒修訂國民小學設備標
　　準（民國七十年，台北市，中正書局）。

❹　詳❶，頁57。

❺　詳❶，頁56。

❻　理想的設計應僅有一出入口，以方便一人服務的情況，一則可以照顧
　　全館的動靜，亦可管制出入，以保圖書資料的安全，因此，服務台設
　　於出入口附近。另設一安全門，緊急逃生之用。

❼　國小圖書館雖服務全校師生員工，但是，小朋友為大多數，因此，所
　　有的設計規劃亦以兒童為中心，以活潑、開朗、朝氣為著眼點，故宜
　　設計兒童喜愛的遊戲沙發卡通沙發或幾何圖形沙發或坐椅。

❽　賴永祥編訂，中國圖書分類法，台北市，三民書局總經銷，民78修訂
　　七版。

❾　國民教育法中雖明文規定國小應設教師職員，台灣省卻以經費短缺為
　　由非但刪減教師比例（由1.5→1.29），而且減去職員編制，使大多
　　數的國小連一位職員都沒有，教師除負教學重任外，均得分擔行政職
　　務，換句話說，教師均兼做職員的工作，國中則有職員之設置。

❿　義工無經費負擔之困擾，又可解決用人困難。

⓫　　拙著，如何訓練「小小圖書館員」擔任圖書館助理員（上）（下）研
　　習資訊第8卷4，5期，頁14－22，15－21，80.8，80.10。

⓬　藍乾章著，圖書館行政，台北市，五南書局，民71，頁6。

⑬　目前國內各圖書館之排架均採此方式。

⑭　所謂『版面特殊』，因讀者使用頻率較高，且資料僅需查檢而不需從頭至尾閱讀。

⑮　即『參考書』，因讀者使用頻率較高，且資料僅需查檢而不需從頭至尾閱讀，因此另置一處稱『參考室』，凡置此室之資料均不被外借。

⑯　詳圖書館自動化作業規劃委員會中國編目規則研訂小組編訂，中國編目規則，台北市，國立中央圖書館，民71。

⑰　所謂平行書名又稱對等書名，即同一本書有兩種以上不同語言文字的書名，這幾種文字所題之書名均為平行書名或對等書名。

⑱所謂『導卡』為方便查檢目錄卡片而設計的，如下圖。

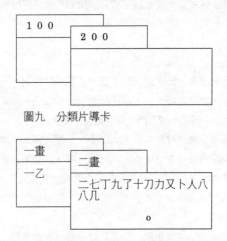

圖九　分類片導卡

圖十　書名片與著者片導卡

⑲　台北市北投區清江國小圖書館業已設計一套完整的『圖書館作業系統』，經三年的實驗試用，已贏得各國小、國中、高中、高職與五專圖書館的喜好，已有八十餘所學校包括宜蘭農專、醒吾商專、明新工專、宜蘭女高、宜蘭高中、花蓮女高、花蓮高中、花蓮高工、新竹女高、新竹高中、復興高中、中山女高、師大附中、頭城國中、南港國小、河隄國小、泉源國小、三民國小、溪口國小、東富國小、天母國小、士

林國小、福星國小、雨農國小、台南水產職校、中華佛教研究所、喬光佛教研究所、法光佛教研究所……等各校圖書館皆已相繼採用。該系統由清江國小王繁森老師與筆者共同開發，如需要可直接函或電洽清江國小參觀或洽用。

❷⓿ 如⓭所稱之各五專、高中、高職、國中、國小圖書館間，相互將已分編完成之資料提供利用或形成網路相互支援，非但節省人力、經費，更延伸館藏，擴展學習與研究效果。

❷❶ 台北市北投區清江國小圖書館設計的『圖書館作業系統』業經一百餘所學校圖書館使用，頗受好評，筆者鄭重推薦。

❷❷ 數據機即Modem。

❷❸ 若每一縣市選一所國小圖書館或每一師院附設之兒童圖書室能成立如台北市北投區清江國小圖書館之『資訊站』，以服務縣（市）或輔導區內各國小圖書館，則國小圖書館事業之推展必一日千里（花蓮師院圖書館亦已成立，以服務花東地區國小圖書館）。

❷❹ 值班之輪值表排列，若分七組時，每組賦予編號後，其排班如下表：

	第一節	第二節	第三節	第四節	第五節	第六節
星期一	1	2	3	＊＊＊	4	5
星期二	6	7	1	＊＊＊	2	3
星期三	4	5	6	＊＊＊		
星期四	7	1	2	＊＊＊	3	4
星期五	5	6	7	＊＊＊	1	2
星期六	3	4	5			

＊＊＊＊1、2、3、4、5、6、7分別表組別編號＊＊＊＊

國小學生課表為滿堂，所以僅能利用每節下課時間到圖書館。每天第四下課為午餐時間，接下去就是午休，這時正是我們用以工作之時，所以排輪值。第七節下課後即放學，師生離校，圖書館也閉館了。

圖十一　值班之輪值表。

❷❺ 圖書館的工作錯誤會誤導讀者，資料的誤置，讀者無法找到，因而影

響其學習與興趣。

㉖ 移架，如果書架的書已滿架了，新書又由編目編分編完畢移入典藏組，提供讀者閱覽，必須上架，書是要依索書號排列的，所以必需將某些書依序移至另一書架，如果事前沒預留空間，移架情形經常會發生，所以應事先預留。

㉗ 各校所訂借書規則不需過度繁瑣，條文宜簡單明瞭，師生易懂易守。

㉘ 詳內政部63.2.15頒佈64.6.5修正之建築技術規則第134條規定：國民小學……之教室不得設置在四層以上。

㉙ 詳內政部63.2.15頒佈64.6.5修正之建築技術規則。

㉚ 詳蔡保田著，學校建築的理論基礎，台北市，五南，民75，頁194。

㉛ 蘇國榮著，國民中小學圖書館之經營，台北市，台灣學生書局，台北市，民 80，頁55。

㉜ 依據我國國家標準CNS附表3學校（室內），詳教育部委託中華民國照明學會研究，宋平生主持，改善教室照明專案研究報告一：學校設計規範草案之研究，民80，頁128。

㉝ 詳林勤敏撰，學校建築的理論基礎，台北市，五南，民75，頁220。

㉞ John E. Burchart etal., Planning the University Library Brilding,（ ALA, 1949）P.63.

㉟ 機械間的消音設備可用隔音棉將機械封住，使聲響與外界隔離，同時將隔牆加厚，這樣閱讀區的讀者就聽不到聲音了。

㊱ 一般教室的承載只要每平方公尺300kg，圖書館則需650kg，如用將報廢的危險教室來改裝，萬萬不可，否則其『補強』的費用將是可觀的數目，台北縣板橋市後埔國小圖書館就是我們的殷鑑。

第伍章　國小圖書館自動化

第一節　清江國小簡介

　　位在台北市北投區的清江國小，小學部三十六班，幼稚園四班，學生一千餘人，雖然學區背景並不優厚，學生以農工子弟居多，稍早他們還沒有穿鞋的習慣，時常可看到他們把鞋子掛在脖子上，光著腳丫仔來上學，看書的習慣，家中是否有充足的讀物？那是可想而知的了。但是，七、八年來，校長及全體老師的心血沒有白費，每當下課鈴聲響起，一群群的小朋友不約而同的往圖書館奔去，這幅美麗的畫面是多麼令人心醉！

　　幾年前，筆者經常說：『「圖書館的顧客」如能比「合作社」多，我們就滿意了』。今天『「圖書館」和「合作社」搶生意』已經成為各校「圖書館經營的名言」了，尤其在清江，每節下課時，門庭若市的圖書館，借書、還書、看書、查資料、問問題的小朋友，熙來攘往，絕非合作社所能比擬的！

第二節　『程式設計』與『圖書館專業』

　　清江國小圖書館的經營有其得天獨厚的條件，天時地利與人和，樣樣俱備，就天時來說，台北市教育局自民國七十年起開始

注意國小圖書館教育❶，正好筆者服務於該校且正在師大圖書館教育組進修；地利方面，則位於經費較寬裕的台北市；人和方面，除筆者所學為圖書館專業外，校長重視圖書館教育而調派幹事一人專職於圖書館且派她先行接受圖書館專業研習，同時該校尚有一位精於電腦程式設計又熱心的王老師，犧牲無以算計的課餘時間，精心鑽研，家長會又及時給予經費上與精神上的支援，因而推展起來較為順利。

圖書館業務中，許多重複而繁雜的工作，在國小人員配置奇缺的情況下，只好求之於擅長重複運算且動作迅速的電腦了。

清江有『電腦天才』之譽的王繁森老師和筆者－－集圖書館學與電腦程式設計於一堂，共同奮鬥，歷六十餘次的試驗，而奠定初稿，『清江圖書作業系統』正式誕生。清江國小圖書館首先採用外，桃源國小、北一女中（該校目前已改用迷你型電腦而改用另一系統）、高雄師大附中、花蓮高中、花蓮女高、花師實小……等一百餘所❷中小學圖書館相繼採用，台北市國民教育輔導團國小圖書館輔導小組認為這一『操作簡單、效用廣闊』而且費用低廉的設計頗值得推廣，所以，特地舉辦全市國小圖書館負責人之研習，把這一資訊傳遞至各校，雖然在市面上看不到任何廣告與宣傳，只因使用者的奔相走告（台語說：甲厚遭朽跛），『清江圖書作業系統』名聞遐邇，備有電腦的各校，大部份已經採用了。

第三節　清江國小圖書作業系統簡介

這系統自七十五年秋開始策劃，由筆者提出圖書館作業的各

種需求，王老師程式設計，歷數十次的試驗，始定稿推出各校使用，由於服務性質較重於商業性，因此，在使用者的推介下（因未正式廣告宣傳），已有上百的使用者，這種肯定的力量是我們不斷增強功能的原動力，爲了服務我們的使用者（也是顧客），使我們欲罷不能，只有勇往直前了。我們簡單的把它介紹給大家，也請各先進給予斧正，以期更符使用者的理想。

(一)　**技術服務方面**

1.編目作業

這是圖書館建立所有資料檔案的書目資料庫，影響爾後全部作業的關鍵，因此，設計必須思慮週全而完整❸。我們依需要設計了許多表格式的畫面，老師或小朋友只要按格子依畫面視窗所提示的方法依序逐項鍵入各項資料就可以了❹。至於各種標點符號則由系統自行設定。

若某出版者出版一系列書籍，而本館也購置不少，則該批書籍資料大部份相同，爲加速工作之進行，本系統尚特備複製檔可資複製，複製後僅修改部份款目即可，方便又省時。

如果您對文書處理的幾種程式如：PE2、PE3、DW3等熟悉的話，您也可以將您已鍵妥的資料檔LIO以文書處理的方式處理，這可能是僅有的一套系統允許用這樣建檔或修改檔案的了。

當您編目完成時，如果想看看所編出的卡片是否正確？可先看卡片樣張，如果一批資料都編目完成了，要印出卡片供排卡之需，我們需經由查詢程序，找到您所需的那筆資料，印出卡片樣張於螢幕上供檢視，如有遺漏或錯誤時，亦可利用增刪或更正程式修正。

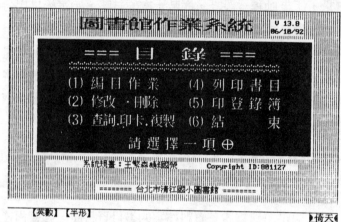

登錄簿 Accession Record

85 年 06 月 20 日	登錄號數 : _		版次 :	
書名 :				
著者 :				
出版地 :	出版者 :			
出版年 : 年	高廣 : 公分		圖表 :	
特藏號 :	分類號 : / /		裝訂 :	
集叢項 :				
面葉數 :			價格 : 元	
迫 I .				
尋 III .				
[F1] 放棄登錄 回目錄				

【英數】【平形】

圖十二　表格式輸入之編目格式

2. 查詢 · 印卡

　　查詢館藏資料是圖書館的重要工作項目，如採選時查複本，出納或參考時查館藏是否已典藏這種資料，都需經查詢而得答案，所以，本系統特別著重這項功能之設計（在OPAC已發展更快速的查

檢功能，在數以萬計的資料中查某一特定資料，只需三、五秒即可），因此，它可從登錄號、題（書）名、著者、出版者、特藏號、分類號(目前已增ISBN、標題與集叢)等各種角度來查檢所需資料均可，例如知某書之書名想查本館已否典藏？只要鍵入書名的第一個字，所有藏書書名第一字相同的都迅速出現於螢幕任由選擇，若輸入前二或三個字，或全名，則銀幕就出現前二或三個字、或全名相同的資料，❺提供參考；若知著者時，輸入著者的姓或全名亦同書名一樣的在螢幕上出現同姓或同姓名的著者及其作品❻供參考利用；想查特殊資料，可由特藏號得知，如想知本館有那些錄影帶、唱片、地圖、模型、標本或參考書等，若分類時在特藏號有所著錄，只要輸入特藏號即得；不知書名只知類別則鍵入分類號之首位數字或前二位或全部號碼❼，都可查得，若書名、著者、分類號……甚麼都不知道時也可以查到，您只要

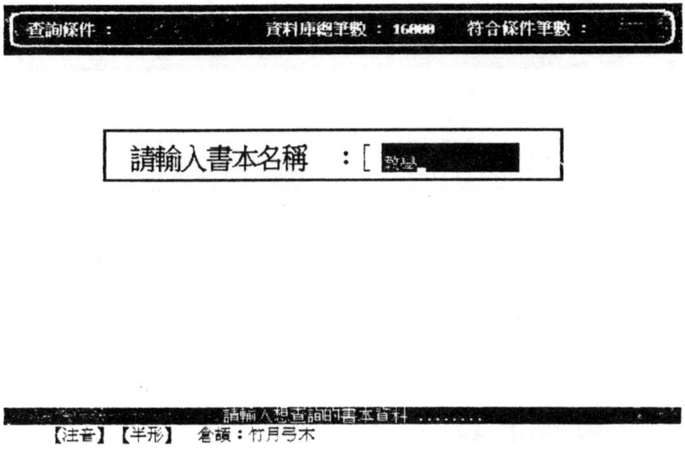

圖十三　輸入書名前二字 "教學" 所得之螢幕畫面

由分類查，當畫面請您輸入『分類號』時，您因不知分類號只好按『Enter』鍵，螢幕即將全部館藏資料列印於螢幕❽，任由選擇，對概念並不十分清楚的小朋友來說，這是特殊的設計。

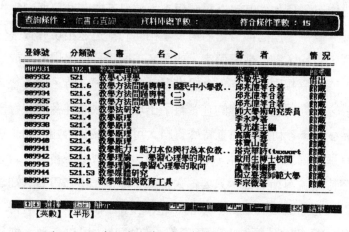

圖十三之一　輸入書名前二字 "教學" 所得之螢幕畫面二

圖十四　輸入著者姓名前一字或二字所得之螢幕畫面

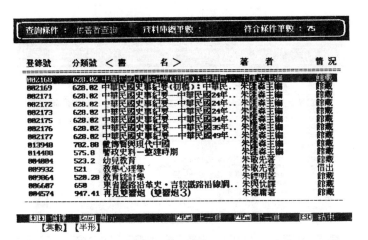

圖十四之一　輸入著者姓名前一字所得之螢幕畫面二

查詢條件：	資料庫總筆數：16000	符合條件筆數：

請輸入著者姓名　：［李中　］

【注音】【半形】　倉頡：戈弓水

圖十四之二　輸入著者姓名前二字所得之螢幕畫面

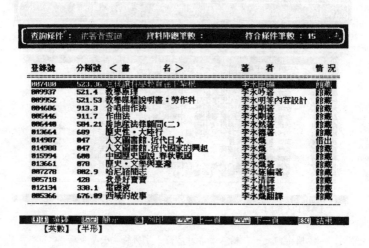

圖十四之三　輸入著者姓名前二字所得之螢幕畫面二

圖十五　輸入分類號前二碼『02』所得之螢幕畫面

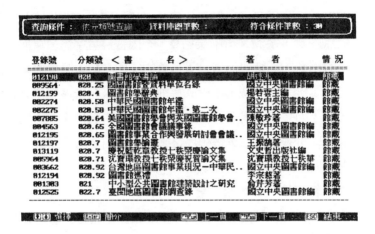

圖十五之一　輸入分類號前二碼『02』所得之螢幕畫面二

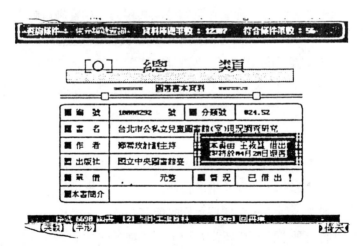

圖十五之二　輸入分類號前二碼『02』所得之螢幕畫面三

　　印製卡片，過去一張草卡完成後，須經繕寫、複印、加添著者姓名，才可完成製卡工作，這套程式可省許多時間與精力，只要分編完成，立即可印出單元片和著者片，而且想印幾張就印幾張，毫無困難，字體又清晰美觀❾，不因書寫者字體潦草而發生辨識上的困難，同時也節省一筆可觀的『印卡機』購置費，方便之至。爲了排卡的方便，本程式特別提供依書名排序與依著者排序之功能，如果您要書名片時，您先下『依書名排序』的指令再行印卡，即可獲依書名筆畫順序之書名片印出，省得您數筆畫數得頭昏腦脹，著者片亦同。

　　3.印製書標、書後袋、書後卡與條碼

　　以往分編完成最後的包裝──繕寫與黏貼書標、書後袋、書後卡工作倍感繁雜，現在，只要在列表機上裝上所需列表紙，依指令操作即可將印妥之書標、與書後袋、書後卡條簽撕下❿，貼於書後袋與書後卡，節省無數的時間與精力。如實施自動化時，書後袋與書後卡的印製可免除，改以印製條碼（Barcode），即以登錄號爲條碼的編號⓫，供流通與清點之用。這系統亦有印製條碼的功能，可以隨時印製或補充損壞的條碼，不會受廠商推拖之氣。

　　4.列印書目與登錄簿

　　今日圖書館的經營應該走上企業化管理而不是往昔姜太公釣魚的架式，因此，如何『推薦自己』，『自我推銷』是一門相當重要的課題，所以，怎樣把我們的館藏介紹給老師和小朋友，以引導他們自動上門，『新書介紹』、『精華展示』：……就是這些活動之一，若能定期把新到圖書告訴老師和小朋友，而且以醒

=== 新進圖書目錄 ===

81年01月01日 至 81年01月20日

第 〈 1 〉 頁

登錄號數	分類號	書　　　　名	作　　者	出版者	價格
000339	839.7	七十八年度台灣東區文藝研討會出席作家作品選集	孫玉章編	省立台東社教館	
000771	222.5	大乘起信論疏記會閱	梁天竺三藏法師真諦譯	香光寺	
001755	548	中國社會福利思想與制度	潘皓著	臺灣中華	400
002209	573.442	中華民國考選行政概況	考選部編	編者	
002732	855	心靈組曲	定理出版社編輯部編	編者	150
003600	859.8	台東行：兒童詩歌創作集	臺東師院語文教育學系編	編者	
003715	830.8	台灣省東區第七屆育少年文藝創作選集	省立台東社會教育館編	編者	
003716	830.8	台灣省東區第八屆育少年文藝創作選集	省立台東社會教育館編	編者	
003740	810.7	台灣區省市立師範學院七十七學年度學生文藝研習綜合紀錄暨學生作品集	臺灣省政府教育廳，台北市政府教育局編	編者	
004735	221.36	地藏菩薩本願經淺釋	恆在紀錄	淨心共修會	
004756	574	多難興邦集	廖英鳴著	正中	9
005441	337	何謂光電	行政院國科會光電小組編	編者	
005505	220.7	即刻開悟之鑰 （一）	上濟下海法師著	大世紀	
005506	220.7	即刻開悟之鑰 （二）	上濟下海法師著	大世紀	
005507	220.7	即刻開悟之鑰 （三）	上濟下海法師著	大世紀	
005912	300.7	李約瑟博士應邀訪華學術講演辭	中華文化復興運動推行委員會編	編者	
006390	220	宗秘論及弘法大師雜著六種	濟淨慈門印經會編	編者	
007251	557.257	南迴與我	林思聰編	編者	
007612	224	毗尼日用切要解	佛瑩法師撰述	慈慧印經處	
009528	525.82	國立復旦大學紀聞	邵夢蘭編	華欣	300
009878	016.52	教育與心理論文索引彙編	程又強，陳明終，吳濟山編	心理	150
009895	520.7	教育論文集－家庭、學校與社會	行政院研究發展考核委員會編	編者	
011288	623.701	隋書求是	岑仲勉撰	史學	200
014168	857.7	獵女犯－台灣特別志願兵的回憶－	陳千武著	熱點文化事業出版公司	150
014447	572.354	僑選經費問題之研究	行政院研究發展考核委員會編	編者	
000522	676.6	八〇年代的中共與外蒙關係	廖淑馨著	蒙藏委員會	

合 計 ： 26 種

圖十七　新書目錄

登錄簿 Accession Record

日期 DATE	登錄號數 Accession No.	索書號 Call No.	書名 Title	作者 Author	出版者 Publisher	出版年 Year	版次 E.d	高廣 Size	裝訂 D.C	價格 Cost	備註 Remake
850126	S07411	447.16/8632/	自己動手做－汽車保養問答	楊成業	全華科技	民82[1993]	初版	23		160	1
850126	S07412	447.16/8632/C.2	自己動手做－汽車保養問答	楊成業	全華科技	民82[1993]	初版	23		160	2
850126	S07413	448.3/8575/	接地技術入門	謝財昌	全華科技	民81[1992]	再版	23		150	3
850126	S07414	448.3/8593/	工業配線	羅欽煌	全華科技	民80[1991]	初版	23		300	4
850126	S07415	448.75/8545/	行動電話實用手冊	城正明	全華科技	民80[1991]	初版	23		150	5
850126	S07416	471.51/8444/	單晶片微電腦8048／8748感溫用實碼	蔡明洋	全華科技	民80[1991]	初版	23		280	6
850126	S07417	448.82/8965/	天線原理與設計	朱紹堯	全華科技	民81[1992]	初版	23	平	330	7
850126	S07418	448.82/8965/	天線原理與設計	朱紹堯	全華科技	民81[1992]	初版	23	平	380	8
850126	S07419	446.73/8386/	氣壓應用	陳保祐	全華科技	民80[1991]	初版	23	平	200	9
850126	S07420	447.1/8436/	汽車煞車系統ABS理論與實務	趙志勇；馮成業	全華科技	民80[1991]	初版	23	平	250	10
850126	S07421	555.8/8553/	工程電腦繪圖控制系統	羅寶杰	全華科技	民81[1992]	初版	23	平	350	11
850126	S07422	447.68/8354/	彈性薄飯系統原理與應用	莫喜興	全華科技	民80[1991]	初版	23	平	260	12
850126	S07423	460.26/8424/	塑架與機械加工	蘇究蓉	全華科技	民80[1991]	初版	23	平	260	13
850126	S07424	440.12/8864/	智慧型感測器	蘇究蓉	全華科技	民80[1991]	初版	23	平	180	14
850126	S07425	440.12/8864/C.2	智慧型感測器	吳金財	全華科技	民80[1991]	初版	23	平	180	15
850126	S07426	447.1/8866/	汽車傳材料與原理	吳金財	全華科技	民80[1991]	初版	23	平	200	16
850126	S07427	448.73/873/	高頻通信電路設計＋波動解析	莫杰	全華科技	民80[1991]	初版	23	平	250	17
850126	S07428	448.88/8645/	高畫質彩色電視解析	卓聖題	全華科技	民80[1991]	初版	23	平	120	18
850126	S07429	448.88/8645/C.2	高畫質彩色電視解析	卓聖題	全華科技	民80[1991]	初版	23	平	120	19
850126	S07430	448.87/8864/	精密積體比實用電路集	蘇究蓉	全華科技	民79[1990]	初版	23	平	300	20
850126	S07431	446.89/8449/	進工技術選定建築與分析	王子銘；蕭士行	全華科技	民81[1992]	初版	23	平	220	21
850126	S07432	447.1/8237/	PC.TOOLS V.7.0 全集II集	謝其真；劉國東	全華科技	民80[1991]	初版	23	平	160	22
850126	S07433	312.94/8464/	PC.TOOLS V.7.0 全集III集	郭生祥；唐李群	全華科技	民81[1992]	初版	23	平	250	23
850126	S07434	312.94/8464/	面為拔手槍成硬體硬份／Vindows 公用程式手冊	郭生雄；陳李群	全華科技	民81[1992]	初版	23	平	220	24

合計：24 種　　本頁合計：5480 元

圖十八　登錄簿

目的方式列印，更具吸引力，本系統可以依分類或依日期印出❷，以提供最迅速的服務。

　　過去為了圖書館財產管理而耗用教師寶貴的時間與精力，一一騰寫圖書資料的各項款目於登錄簿，如今，只要在電腦的鍵盤上依您的需要而鍵入適當的指令❸，整齊美觀的登錄簿就呈現在您的眼前❹，再也不要為騰寫而傷神了。

　　5.合作編目與合作採訪

　　編目是件耗神費時的事，而且一本書在不同的圖書館重複的在編，浪費寶貴的光陰，同時，各國小圖書館普遍缺乏分編人員，形成國小圖書館發展之瓶頸，所以，由具分編能力之館擔負主要分編工作，以為書目中心（最好由師院圖書館的兒童圖書室擔任，因師院有專業人員，且其資料與國小接近，目前花師正在建檔中，已可為各國小服務），各國小透過網路連線即可（Download）取得書目資料❺，再以擷取檔案（Getlio）的指令將書目資料接編於自己的書目資料庫中，這樣，非但解決了因分編人員不足所產生的困境，而且書籍提早上架與讀者見面，同時因不需重複分編可省下許多時間用以從事讀者服務工作之進行，如今這個書目中心業已在清江國小圖書館與花師圖書館誕生❻，業已展開服務中。只要您具備這套連線作業系統，一只數據機（Modem），一具電話，就可與清江國小圖書館或花師圖書館及其他各館連線作業了。同時，他館已購圖書資料媒體中，不乏可供參考之處，亦可與鄰近相同類型的各館，以分工合作方式分類採訪，共同運用，一則增進館際間合作，二則節省為數可觀的經費，非但可以發展館藏特色，而且能大量擴充館藏，方便讀者利用。

6.分類或分檔儲存

資料輸入後形成資料檔，如資料檔過於龐大，傳輸過於費時，擷取時查檢耗時，因此我們提供自動分類（分十大類）與自動分檔儲存的功能，換句話說，當您鍵入 LIOTO10指令後按ENTER即可分別將您的資料檔LIO依圖書的十大分類自動分成十個檔（LIO-0至LIO-9)存儲，如他館需要可依十大類中各類查檢所需資料取回運用；如您的資料檔筆數太多，執行某一功能不夠靈活時，可依您的需要筆數分檔（不依分類），例如我有一萬三千筆資料想以PE2來處理，但PE2 僅能處理三到五千筆資料，超過即因記憶體不足而無法運作，這時您只要先預設可能執行的筆數（如2800或3000筆），然後執行libline指令即可自動分為每一檔案為 2800筆或3000筆的新檔案供運用。

(二) **讀者服務方面**

1.流通作業系統

借還書是一項瑣碎而繁雜的工作，尤其是要填寫一堆文字，耽誤時間，為讀者所垢病，因此簡化手續，增加功效是我們努力的目標，然而，流通工作除了借還記錄外，還需兼作逾期催還，逾期罰鍰，個人借書統計，單書被借統計，班級借書統計，這些等等如以人工處理，必需很多人力與時間，可能還做不好，如以電腦處理，僅彈指之間，隨即完成，且準確無比，但是，事前的準備工作可能要花一些時間，例如：每一本書的資料均需鍵入電腦，而且完成條碼轉換，並黏貼於每一本書上，同學的借書證資

料亦需輸入，且轉換成條碼，為了這些，圖書館需備掃瞄用光筆（或光罩），條碼印製機與轉換程式，倘若這些都完成，讀者借還書時，只要把光筆在書上與借書證上輕輕一畫，不需書寫任何資料，而且在數秒鐘之內即可完成，且一切統計資料皆已完成，快捷無比。

在系統內先將各類讀者的身份以英文字母或數字區別分別製成條碼於閱覽證（或借書證），而系統把各類讀者的借書期限與數量先行設定，只要讀者還書時系統就會自行鑑別是否逾期，應否罰鍰，該罰多少，均可在讀者還書時顯示，絲毫無誤。

同時我們還設計了『影像』與『語音』系統，當讀者借書時，只要把閱覽證的條碼刷入，螢幕立即顯示讀者之影像，對一位冒用他人閱覽證的人有警告與嚇阻作用，同時，各種畫面亦可以本館各區畫面為背景，增加親切感，當您借書時，即由語音系統告訴您已借多少書，尚可再借幾本？還書時，也由語音系統告訴您，還有多少書未還，或是幾本已逾期了，請趕快還。

為了對常利用資料同學的一種鼓勵，本系統特設計『個人借書排行榜』，可查出或列印借書最多的前若干人，以作獎勵的依據。這項功能對國小的小朋友非常重要，也提升小朋友利用的興趣，增加圖書資料的流通與小朋友進館的頻率，進而獲得實施利用圖書館的機會，同時也設計『單書被借排行榜』，藉以瞭解那些資料最被歡迎，提供採訪與教學參考。

2.OPAC

過去想知某書是否有被圖書館典藏，只要查檢圖書館的公用目錄便一目瞭然，但是，如果藏書上五十萬冊的圖書館，查起它的目錄可不輕鬆，說不定找目錄櫃就要花上相當的時間，密密麻

圖十九　線上目錄查詢系統功能圖OPAC

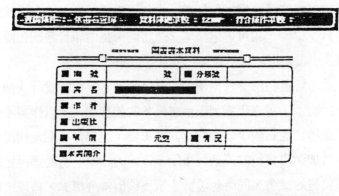

圖十九之一　選[1]依書名查詢之畫面

麻的卡片翻起來也非易事，所以，我們為節省讀者時間，加速獲得所需資料，我們提供以分類號、ISBN、書名、著者、出版者、複合詞或任一字等方式查檢，也就是說，知分類號、ISBN、書名、著

者、出版者中任一種資料都可據以查檢，若都不知，只印像中有某一字均可據以查檢，而且在數以萬計的資料中，僅僅數秒鐘即出現在您眼前螢光幕上，快速無比。從這系統中不但立即可以查檢得知本館是否已典藏是項圖書資料，同時也立即得知是否已被借出或在館，倘已被借出，亦可查出『何人借去』，『借期至何時應歸還』，若急需可『找他商借閱』或『辦預約手續』，同時還可由『語音系統』告訴您所查資料的題名、著者、出版者以及已被借出或仍在館，這樣不但可由『螢幕上看』到而且還能『用耳朵聽』到，親切新奇，更增小朋友或讀者喜歡進館的意願，雖然是開架管理，到書庫查檢一目瞭然，如已被借出就不必辛苦的到書庫搜索，浪費寶貴時間，也節省許多存放目錄櫃的空間，供作其他用途，更節省排片的人力，移作讀者服務。

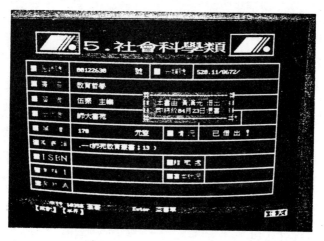

圖二十　標示已借出之螢幕畫面

3.影像和語音系統的運用(新書介紹)

在小朋友的生活領域中，『會動』、『彩色』而且『有聲』的事物對他們最具吸引力，因此，如果資料中有『彩色』的『動畫』，而且能『自動發聲』，將是兒童的最愛，所以，我們克服了困難，利用V-8攝影或掃描，將『書本的彩色封面或畫頁』輸入程式存檔，並將『書目資料』與此書『摘要』相結合，以生動的彩色畫面呈現在小朋友面前，再配以語音系統將『書目資料』與『摘要』讀出，小朋友以驚奇的眼光來接受新書通告，頗具吸引力，只是影像所佔記憶體過大，一般個人電腦（PC）的硬碟無法負荷，我們建議每次提供『新書通告』的數量不要太多，以不超過一百本為原則，第二次發出『新書通告』時即將前次的刪除，可節省記憶體的負荷，方不致因記憶體不足而無法運作。

第四節　BBS的運用

在國內，BBS用於圖書館創始者可能是清江國小圖書館，第二則是花蓮師院圖書館，到現在為止，除了使用『清江國小圖書作業系統』以外的各館似未見，原因是各大學圖書館熱衷於校園網路與國際網路或校際網路的開發，教育部亦先引進學術網路(Bitnet)，旋開發台灣學術網路(Tainet)。而國民中小學及高中高職圖書館的自動化尚在起步階段，各館缺乏專業人員，更缺電腦程式設計人員。

清江國小圖書作業系統之所以應用BBS作連線網路也是一種巧思，也是在『窮則變，變則通』，迫不得已的情形之下發展出

來的，因為國民小學圖書館一向未被重視，不可能有較多的經費用於購置較大型（迷你型以上）的電腦（就算有人免費捐贈也無能力操作與維護，因為沒有人員的編制），所以，用最少的經費，最簡單的操作方法來完成圖書館自動化作業，達到各館可以連線作業，只有採用BBS 最有可能了。

　　雖然BBS早在民國六十二年引進國內（成立TUGNET即Taiwan User Group NET），正式獨立設站則在民國七十六年(由天威視訊中心的林姓會員設立)，發展異常迅速，目前，國內的業餘BBS網路，台北約有20餘站，中、南、桃竹苗各約有10站，總計約50站，他們大都以傳遞電腦資訊為主要用途，我們則利用其傳輸電腦資訊的優點，加以發揮，應用於圖書館作業上。

　　我們從文獻上看到國外將BBS用於圖書館近幾年的事，Williams, Gene;Mitchell, Chris❶曾以BBS系統用進階方式提供青少年有關電訊資料媒體，並介紹相關軟硬體。而LARue, James❶在公共圖書館與社區電子佈告欄系統研討會上曾討論BBS系統與資訊站的建立，站與站之連繫，接收與送出資料檔案之傳輸，以及有關各項規則。

　　而Montana大學在其蒙大拿教育電訊網路（Telecommunications Network）❶也以BBS提供自幼稚園至高三之教育課程，由學生自由登記選讀其學程,假日教學中心，或是社區學院提供學習環境。

　　然而，我們並未發現他們用以『合作編目』或『合作採訪』，而是作一般學校教學之延長，我們則應用BBS既有傳輸檔案的功能，將我們在圖書館自動化所花費的精神與時間提與各館共享，節省

彼此的時間。

因此，著手設站，並設計各種相關應用程式，如自動分類儲存，自動分檔以利傳輸，擷取檔案自動接編登錄號……等。藉以克服各類應用上的瓶頸，例如：

1. 傳輸運用電信，我們必需考慮長途電話費的支出而將檔案縮小，除現有各種壓縮程式外，我們提供分檔及分類的程式。⓴

2. 為了應用他館已分編輸入完成的書目資料，以節省自己分編與輸入的時間，我們提供擷取檔案與自動接編登錄號的程式㉑。以便各館自資訊站取回的書目資料檔中，將需要的部份資料（可用的）擷取，其他的可捨去，以節省硬碟空間。

3. 為了解答各館的疑難以及連繫的方便，我們在資訊站裡除開闢佈告欄外，也提供書信與討論。這樣，各國小圖書館如有任何疑難雜症都可以運用此區提出，讓大家為您解困，而各師院圖書館也可運用此區進行輔導工作。

4. 為了服務各國小圖書館，我們也提供一些公益軟體，以及相關訊習，藉以提昇國小圖書館學術研究風氣與水準，也提高使用興趣。

截至目前為止，我們發現前來取回資料檔（分編完妥的書目資料檔）供分編參考及將已分編完妥的書目資料傳進資訊站者居多，這是一種合作，也是一種互惠，因為您付出您投入的心力也許300份，但是，您也許可自資訊站取回2000份，因為很多的300份加起來就有可能超過5000份，而自5000份中也許有2000份您可

用的，所以，大家樂於使用。

第五節　實施圖書館利用教育

過去各國民小學由於圖書館未能健全發展，甚至停滯於休眠期而無法運作，同時，國小教師中具圖書館專業者又寥若晨星，所以圖書館利用教育難以進行。

如果經由師院圖書館之輔導而使各國小圖書館得以健全，且進入自動化之後，實施圖書館之各項教學將易如反掌，簡略說明於後。

一、目錄卡片的認識

不論書名目錄卡、分類目錄卡、著者目錄卡、標題目錄卡都可經由電腦印出而獲得，經整理後即可取而用之，甚至多印『樣片』以爲教具提供學習。

二、新書目錄與新知選介

不知道館內有什麼可用的資料是讀者來進館的原因之一，因此，『如何自我推介』是現代重要政策之一，只要自動化開始作業，新書目錄最好以每週列印一次，分送各班級與各老師，讓他們知曉最新到館之新資料，以便參考應用，小朋友對新的都很喜歡，『新知選介』如配以影像與語音系統的設計，選擇較趣味性與知識性的讀物或新知，作一簡短的介紹，非但增其新知，同時

也能吸引其入館。

三、公用目錄的認識與應用

國小圖書館自動化之後，有網路（單機亦可設置）之設置，線上公用目錄如配以影像與語音系統，對國小之小朋友更具吸引力，因為有聲音、有動作、有畫面正好迎合小朋友的『好奇』，因好奇而『專注』，只要專注沒有甚麼無法解決的，因此，圖書館的利用知能也由好奇而專注來達成。

四、讀者排行榜與好書排行榜

不服輸也是小朋友的特性之一，適度而善意的競爭可獲良性的結果，在自動化流通系統中，宜設『讀者借書排行榜』之子系統，以『週』為單位公佈『前十名借書讀者名單』，同時也可以班級為單位，公佈『前三名借書班級名單』，於週會時再向全校表揚，藉以刺激其閱讀興趣，學期結束另以累積計算得排行之前十名讀者頒獎褒揚。

五、疑難解答

小朋友的『好奇』是天生的，這份好奇正是我們用以教學的原理之一，所以，他們心中常有一大堆的『為什麼』？又不知如何找尋解答方法，也不太敢開口問，如果在圖書館設一『意見箱』的方式，讓小朋友甚至教職員把心中的困難，透過意見箱提出來，在圖書館服務的圖書教師給予指引解答的方法，如用何種參考書

可以找到答案，也可以藉意見箱作爲溝通的橋樑，亦可解讀者與館員間的心結，又能訓練小朋友的『輸入』能力，也解答了學習上的障礙，促進圖書館利用教育之實施。

六、統計與報告

電腦最大的好處在於『快速處理重複的動作』，所以，如果輔導國小圖書館完成自動化，讀者檔、借書記錄、圖書資料均爲現成，透過簡單的計算統計，我們可以知道那些類的資料『讀者最需要』，提供『採訪』的方向，那些是『被遺漏的讀者』，我們要設法尋回，經由『統計資料』的『數據』，提出強而有力的『增加資料』與『擴充設備』理由，有了較充足的資料，迷失的讀者找回來了，潛在的讀者發掘了，利用教育的實施可達全面化，圖書館教育事業的落實指日可期了。

註　釋

❶　台北市教育局自民70年起編列專款發展國小圖書館教育其數額如下：

年度	金　　　額	年度	金　　　額	年度	金　　　額
70	838,560	71	5,453,000	72	4,637,000
73	10,882,800	74	5,827,530	75	5,247,000
76	4,494,060	七年合計 37,379,950 元				

台北市教育局自民70-75年編列專款發展國小圖書館教育數額表

❷ 包括國小、國中、高中、高職及五專各級學校如：宜蘭農專、醒吾商專、明新工專、宜蘭女高、宜蘭高中、花蓮女高、花蓮高中、花蓮高工、新竹女高、新竹高中、復興高中、中山女高、高師大附中、頭城國中、南港國小、河隄國小、泉源國小、三民國小、溪口國小、東富國小、天母國小、士林國小、福星國小、雨農國小、台南水產職校、中華佛教研究所、喬光佛教研究所、法光佛教研究所……等各校圖書館皆已相繼採用。

❸ 這是所有資料的主檔，必需考慮周延，以保資料的正確性。

❹ 如圖十二。

❺ 如書名為『教學原理』，只鍵入『教』、『教學』、『教學原』、『教學原理』均可，如圖十三。

❻ 如『李永吟』的『教學原理』，只鍵入著者的姓『李』、或前兩字或三個字均可，如圖十四。

❼ 如分類號為021只鍵入0或02或021均可。

❽ 如鍵入52則本館所藏有關社會科學中之教育類書籍即出現於螢幕供選擇，如圖十五。

❾ 書名片、分類片、著者片及各室所需目錄片均可印出。

❿ 列印之書標、書後卡與書後袋所用標籤圖

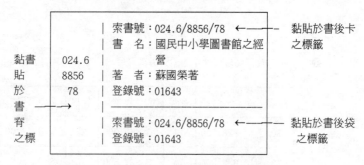

圖十六　　書標、書後卡與書後袋所用標籤圖

⓫ 以該書之登錄號為條碼之基本編號，經由電腦輸入，透過程式經條碼機印出條碼，黏貼於書籍之書名頁或版權頁；借書證亦可以學號為條

碼之基本編號，經由電腦輸入，透過程式經條碼機印出條碼，黏貼於借書證上即可。

⑫ 新書介紹可用分類印出，也可一日期〔　如二月十日至三月十日（即本月新書）印出，以告知師生，如圖十七。

⑬ 登錄簿可依日期或編號印出，如圖十八。

⑭ 同⑬。

⑮ 如某校已用清江國小圖書館作業系統，只要再備數據機乙具（Modem）與電話機線路即可連線，取得書目資料。

⑯ 清江國小圖書館資訊站與花師圖書館資訊站均已備妥各類圖書資料檔供使用學校連線運用。

⑰ 詳 Williams, Gene;Mitchell, Chris ，"Seting up a library BBS: a step by step guide "，Wilson-library-bulletin v61 n6 p12-15 79 Feb 1987。

⑱ 詳 LARue, James　"Sending Them a message: Electyonic Bulletin Boards" Wilson-library-bulletin v60 n10 p30-33 Jun 1986。

⑲ 詳 "About METNET:Montana Educational Telecommunications Network [and] Chapter 622, Laws of Montana, 52nd Legislature,1991。

⑳ 分類的程式即LIOTO10，當您已輸入一些書目資料後（不論自己輸入或擷自他館），您想依圖書十大類分類儲存時，即可使用它，您只要鍵入LIOTO10之指令，電腦立即為您辦理，而且迅速異常。

㉑ 擷取檔案的程式即GETLIO，當您自他館連線download下來的書目資料檔中，不一定所有的資料都需要，因此，您運用此程式將Download的檔中，看到需要的就按←」，全部檢視完畢，再選擇自動接編登錄號或另給新號後，按ESC 鍵即告完成。

第陸章　圖書教師與國小圖書館

　　教育部於民國七十年頒佈的「修訂『國民小學設備標準』」
❶中，明白規定「國民小學不論其規模大小，班級多寡，均應設
置圖書室或圖書館」。同時也規定「各校應由校長指派『圖書教
師』一人處理館務，班級較多之學校，酌增圖書教師若干人，協
同處理館務」❷。直至民國七十二年，全國尚無「圖書教師」之
設置，所以，中國圖書館學會於民國七十二年底的年會中，提案
敦請教育部通令省市教育廳局，依部頒「修訂『國民小學設備標
準』」設置「圖書教師」，立即獲大會通過，教育部旋於民國七
十三年四月間函省市教育廳局及國防部轉金馬戰地政務委員會，
函轉各校❸，請各國小校長指派教師兼任「圖書教師」。

　　當這份公文轉達至各國小時，由於各校長對於「圖書教師」
認識不足，部份「歸檔存查」了事，有些指派「設備組長」或
「課務組長」兼任，至於是否具「圖書館學專業訓練」也就完全
不問了。正因如此，國小圖書館的發展，遲至今日，仍在萌芽階
段，影響圖書館教育之發展至深且鉅。

第一節　圖書教師的任用資格

　　依教育部頒「修訂『國民小學設備標準』」中「圖書設備標

準」之規定，「圖書教師應受圖書館學專業訓練」❹，但「圖書館學專業訓練」係指那些科目或課程？該標準並無明文規定，依據高級中學各學科教師本科系相關科系及專門科目對照表中，「圖書館科」之專門科目及學分數爲：❺

科 目	學分數	科 目	學分數
資料管理	2	圖書館自動化	2
圖書館學	2	資訊科學概論	2
選擇與採訪	2	非書資料管理	2
分類及編目	4	中文資料參考服務	4
學校圖書館行政	2	分類及編目	4

表三　「圖書館科」專門科目及學分數

依上表可知，除應具備國小教師資格外，應修習上列「圖書館學專業」課程，方始爲合格之「圖書教師」，然而，在過去師範、師專時期與現在師院學生所修之課程中，僅「小學圖書館學二學分」而已，但「大學及獨立學院圖書館標準草案」中所稱圖書館學專業人員，則需具備下列資格之一：❻

1.國內圖書館學系組及研究所畢業者。

2.其他學系畢業，曾選修圖書館學或資訊科學二十學分以上，並在圖書館服務一年以上者。

3.資訊科學及教育資料科學系畢業者。

4.專科學校圖書資料科畢業，並在圖書館服務二年以上者。

5.圖書館人員高等考試及格者。

6.圖書館人員普通考試及格者，並在圖書館服務二年以上者。

兩者相較，顯然距標準太遠，如以「大學及獨立學院圖書館標準草案」中所稱圖書館學專業人員為標準，則圖書館學系組科及研究所畢業或圖書館人員高普考及格，與選修圖書館學或資訊科學二十學分以上者均可謂「圖書館學專業人員」，衡量現今，只有臺灣師範大學社會教育學系圖書館教育組畢業者，才真正符合「圖書教師」之條件，因他們非但修習「教育專業科目」而具「教師資格」，且修習圖書館學專業課程而具「圖書館學專業人員資格」，但是，臺灣師範大學自民國四十五年成立「社會教育學系」以來，雖歷三十餘年，其畢業生都投入國民中學或社教機構，幾乎沒有服務國小者，直至民國六十九年該系設「夜間部」，招收「在職進修」人員，入學者80％為「國小教師」，這批國小教師畢業回到國小服務，為最合適之「圖書教師」。可惜僅辦三屆而中止，這區區近百的「圖書教師」，綜有四兩撥千斤之力，亦難以推動數以千計之國小圖書館教育。❼

省市教育廳局為了因應當前之需要，以「在職訓練」的方式，每年調訓未具「圖書館學專業」的教師，在各教師研習中心實施「密集訓練」❽，而中國圖書館學會也於每年暑假舉辦「暑期圖書館工作人員研習」❾，這些密集訓練提供了概念性的圖書館學專業知識，以補專業訓練之不足，對國小圖書館教育之推展亦頗有助益。

第二節　圖書教師之職掌

　　在「國民小學設備標準」　中規定「各校應由校長指派圖書教師一人處理館務」，並無其他說明或解釋文字，而「處理館務」在國小學圖書館來說，並非僅指一般兒童圖書館的「採編，閱覽」而已，尚應包括「圖書館利用教育」的實施以及支援教學活動，否則就與公共圖書館的兒童室毫無分別了，因此，「圖書教師」的職掌，個人認爲可分爲下列各點：

一、館內技術服務：

　　技術服務乃讀者服務之準備，我們知道，圖書館的採訪選擇，交換贈送，分類編目，摘要索引，書目，排架典藏與特殊資料❿之整理，乃是幕後之準備工作，也就如作戰先頭部隊之後勤。欲有完美順利成功的服務，必先有完善穩妥的準備。因此，完美的「技術服務」才是成功的「讀者服務」之基石·不然，想要使用「目錄」，目錄不全，甚至未編⓫，欲利用圖書資料，又未予「分類」，試想，要如何來「利用」？又怎樣「指導」小朋友呢？
爲期有較完妥的館內技術服務，可分下列幾項工作：

(一)館藏政策之擬定：
依據學校發展目標，會同圖書館委員會或師生員工代表決定館藏之方向，擬定館藏政策，依據這一政策，制訂蒐集資料之優先順序。

(二)實施編目分類並製作各種目錄：
資料媒體蒐集經過登錄後，立即予以編目分類⓬，並製作各種目

種目錄卡片和新書目錄，這是一項煩瑣又耗神費時的工作，圖書教師尚有沉重的教學與行政工作，因此有賴於電腦與連線合作❸完成，省時省力又快捷。

(三)對於資料媒體之排架讀架與清點和撤架：

書架之清潔與整齊，對讀者之利用不但方便而且有魅力，對於過時或廢棄之資料則占據書架妨礙新增資料之上架，影響讀者之查檢，所以，適時的清點與撤架有其必要。

(四)若能提供線上檢索，將更增讀者興趣。

二、館內讀者服務：

也就是對校內師生的各種服務，如圖書的出納流通，參考諮詢，尤以「參考諮詢」最為重要❹，我們非但要解答兒童的一般疑難，更要隨機指導「利用圖書館」的知能，輔導他們「自食其力」，找到他們自己所需要的資料和答案，使他們不僅因獲得解答而「快樂與滿足」，更因學得「解答的方法」而激起「再來的慾望」，因此，為了招徠「顧客」，我們必須設計許多具有「趣味性」的活動，吸引他們參與❺。

三、提供教師教學參考資料：

學校圖書館設置的目的，在於協助教學，增進學生學習效果，因此，對於有關教學之參考資料應廣為蒐集，首先，對於課程標準必須熟悉，各年級各學科的教材必須瞭解，隨時隨地注意蒐集，加以整理，歸類，剪輯，編號，製成目錄與索引，提供教師們教學之參考利用，必能充實教學內容，提昇教學效果，增進學生之

學習興趣與效果。

四、協助教師製作教具：

　　傳統演講式的教學法業已日漸式微❶，代之而起的是實驗，觀察，蒐集為主的「自學活動」，換句話說，學習需由學生自我意願為主，而非強迫的注入，為了引起其興趣，教師必須利用各種教學資源，器材，以誘導其潛在的能力，使之充分發揮，因而，教具的製作與使用，刻不容緩，教師本身課務繁忙，無暇蒐集製作，圖書教師以其「專業知能」來協助教師蒐集，乃是順理成章之事。

五、「圖書館利用教育」之教學：

　　為「圖書教師」最重要的工作之一，學校若重視「圖書館利用教育」，則由教務處排定時間，全班同學定時地到圖書館，接受預先設計的教材與一定進度以漸進的方式實施教學❶，最好能依教材之進度拍成「錄影帶」或是幻燈片，因為這樣一來有聲光，彩色與動感之效果，可增強學生的學習興趣與效果，二來亦可複製，拷貝以供廣泛使用，節省人力與解決「師資不足」之困難。同時也可以利用兒童個別入館前來詢問疑難之時，隨機給予指導，一方面協助他解答疑難，一方面適時地給予「參考書利用」的指導，介紹參考書的特性，使用方法，使用時機，甚至對於「索引」，「摘要」，「書目」，「剪輯資料」之利用指導，亦可伺機進行，這種「個別指導」往往深刻而有效，只是每次指導之人數太少，而花費時間太多，不甚經濟。

六、舉辦各種圖書活動：

　　爲了提高學生對圖書館的認識和利用，我們可藉著各種圖書館活動的舉辦⓲，來吸引學生進館，然而這些活動的舉辦，必須與訓導處，輔導室配合舉辦，這樣可以促進圖書館與各處間的情誼，又可增進各處對圖書館之瞭解，而使活動辦得更爲生動⓳。

七、協助教師成立「班級圖書室」：

　　班級圖書室實爲學校圖書館的延伸，因此，對於各班級之班級圖書室應提供技術支援，甚至於圖書資料之支援，以期圖書館利用教育普及於每一位學生，由於班級人數較少，教師更能順應其個別差異，指導的效果必大爲提高⓴。

八、協助學校辦理教師在職進修：

　　時代不停的進步，知識不斷的擴充，從事教育工作的我們，不能停滯不前，否則，輕者爲世人所遺棄或淘汰，重者誤人子弟，遺害社會，因此，在職進修成爲趨勢，圖書教師具有專業學養，不論是資料的蒐集、課程設計、網路開發、教學單元策略之提供、相關資訊媒體之支援……等均可提供協助㉑，因爲圖書教師可以利用其專業知能，不論對於個人進修的種種須要或學校爲了教師進修的各項措施，皆可大力支援。

第三節　圖書教師的修養

　　如果一位圖書教師能對其職掌善盡職責，必能使學校圖書館

成爲「教學的中心」，「學校的心臟」，而「圖書教師」亦將成爲學校的「靈魂人物」，但是，他仍然必須具有相當的條件與修養，茲列述於後，提供參考：

一、正確的觀念：

圖書館所提供的服務，對整個學校是重要的，甚至影響學校的辦學績效，基於這點，必須先有正確的觀念，對於校內師生，技工友，職員等，均應提供「適切的服務」，以滿足他們的求知慾，達到其目的，進而成爲一個不可多得的朋友。

二、所提供的服務是否有效，端賴本身之專業知能：

對於「圖書館學」的原理，服務的原則，有深切的認識與瞭解，進而熟練各種技術，以達「得心應手」之效，若能如此，服務之品質必能提高，效果必然卓著。

三、熟練各種參考書之特性與用法：

若對參考書的認識一知半解，既有虧職守，亦爲全校師生之損失，對參考書有透澈之瞭解，即可迅速而準確地利用它查檢，給予師生快捷精準而滿意的答覆與解答，一則提高師生進館的興趣，二則使讀者對本館建立良好的信心。

四、對各科教材內容與進度充分瞭解：

爲了配合教學進度，適時提供教學參考資料及教學媒體之製作，對於課程標準的內容與本學期之教學範圍與進度，製成表格

再將蒐集的材料系統化，以期靈活調配，用以配合教學，使教學效果達到最高之境界。

五、靈活的視聽資訊：

卡利佛（Kathleen W. Craver）在其「學校圖書館媒體中心的未來」一文中曾說：「『圖書館媒體專家』的地位在於他的技術為資訊的儲存，檢索，利用與應用，又稱為『界面專家』」[22]，所以，今日「多媒體」[23]之被利用於教育為眾所重視，因而對於最新之視聽器材，教學資料，不論硬體，軟體，都應掌握其資訊源，以便隨時蒐集、購買、參考與應用，以利於教學效果之增進。

六、具有高度的服務熱誠與敬業精神，並以「利他」為信守之戒律：

圖書教師本身兼具「館員」與「教師」之雙重身份與任務，若具高度之服務熱誠，必有犧牲奉獻之精神，必然有「利他」為守則的表現，也唯有如此，圖書館事業才能紮實地發展[24]。

七、經常閱讀、進修，汲取新知：

今日號稱知識爆炸，各種出版品如潮水般湧來，唯有不斷的閱讀、進修，方不致為其所淹沒，尤其是「期刊論文」的研讀，更為重要，經常瀏覽，對於「專業性」期刊更不應該忽視，且需作筆記，摘要，索引與剪輯，以增新知與便於日後運用，同時亦可服務師生，否則我們非但為其洪流所淹沒、吞噬，更為其所淘汰，又怎能服務大眾。

八、是一位熱心的「鼓勵員」：

不論教師或小朋友，在求知過程中必有遭逢挫折的時候，尤其是小朋友，非但極需要指導，更需要鼓勵，也許您的一句話，增強了他的信心與毅力，走上寬敞的學術研究大道。

第四節　圖書教師如何獲取『專業知識』，以服務師生

一個圖書館的成功與否？端賴服務的品質，圖書教師的『專業』素養則是『賴服務品質』的癥結，因此，『專業知識』的吸取，是刻不容緩的要務，以目前各國中小圖書館來說，可分兩大類說明如：

1.未獲『專業資格』的圖書教師，筆者認爲可依下列方式獲取：

(1)有學位或學分證明的進修：考進圖書館學系、師院進修部或研究所進修，畢業即可獲學士或博、碩士學位，若僅參加其學科選修，成績及格，可得學分證明。

(2)沒有學位或學分證明的進修：研讀有關圖書館學期刊與書籍、參加相關類科研習會、參與相關研討會、請教專家學者、同事互相請益，吸收他人寶貴的經驗，充實自我。

2.已獲『專業資格』的圖書教師，個人認爲可依下列方式獲取：

(1)研讀有關圖書館學期刊與書籍、參加相關類科研習會、參

與相關研討會、請教專家學者、同事互相請益，吸收他人寶貴的經驗，充實自我。

(2)經常寫作，把經驗與心得發表，提供同好參考指正，因要寫出內容，就會自我突破，擷取新知，自我成長，因獲發表而受肯定，種下再出發的種子，於是不斷自我督促，成效必大。

第五節　圖書教師與設備組長

國民小學依據「國民教育法施行細則」❷第十二條第一款國民小學行政組織第三項：「二十五班以上者設教務，總務，訓導及輔導室．教務處分設教學，設備，註冊三組；……」而有「設備組長」之設置，另第十三條國民小學及國民中學各處，室之職掌……「一、教務處：掌各學科課程編排，教學實施，學籍管理，成績考查，教學設備，教具圖書資料供應與教學研究，並與輔導單位配合實施教育輔導等業務。……」詳明「設備組長」之職乃「教學設備，教具圖書資料供應與教學研究」等支援教學之單位。

圖書教師，顧名思義，其主要職責在「教」，如何把「圖書館學之知識」傳授，教導予學生，使學生獲此知能，以擴大其學習領域，充實生活，同時，協助教師準備教學，以豐富教學內容，換言之，「圖書館利用」教育之推展，主要任務就是落在「圖書教師」的雙肩了。

若在二十四班以下的國民小學，「圖書教師」就有兼具「設備組長」之功能，因為學校行政體系中沒有「設備組長」之設置

❷,因而有「各校應由校長指派圖書教師一人處理館務」之規定,所以,這類型之學校,「圖書教師」除擔負「圖書館利用教育」之教學重任之外,尚應處理「館內行政事務」。

第六節　圖書教師與一般教師

一般教師係指普通的級任與科任教師,他們除了共負輔導學生之生活教育與道德教育之外他們的授課範圍就是一般的教科書了,假如圖書教師能與之配合適時提供教學資源,必能使教學更生動有趣,效果必更卓著。

學校圖書館最大的功能在於發揮教師之教學效果與學生之功能,所以,「圖書教師」在一般教師擬定教學計劃時,就必須採取主動而積極的態度,資料的選擇與蒐集就成了這一活動的重點所在,藉著「參與教學計劃」把有關的資料提供出來,而一般教師亦可「建議採購有關的教學資料」❷。

整個教學單元依教學計劃進行、發展,圖書教師與一般教師的合作並未中斷,「圖書教師」協助把「教學資料」送進教室,教導學生如何使用,教學後更推薦其他資料,供課後研究之參考,這樣,學生的學習興趣提高了,教學效果必大增。

為期使圖書教師與一般教師建立良好的關係,與促進教學效果,圖書教師可以利用各種方式提供予一般教師,一則提高其利用圖書館的興趣與知能,二來可協助教學,如:

1.定時提供新到圖書目錄,或最新到館之媒體資料,以供參考利用。

2.定時提供新到期刊目次選粹❷，掌握資訊。

3.常與教師作非正式之晤談，以瞭解其困難與需要，設法解決與滿足。

4.瞭解新課程，提供新課程有關之教學資料。

5.請教師提供介購新書書單。

6.提供有關書評，介紹新書。

7.設教師研究室，供教師使用。

8.在各種教師會議介紹最新資訊與圖書館活動。

9.與教師共同策劃，在學生課業中列入圖書館學教材。

10.協助導師成立班級圖書室。

　　例如，國小四年級下學期有「金門」這個單元，圖書教師除了「蒐集」有關「金門」的資料外，還得做一些「課後研究」，所以，教學時不僅是「教科書」為主要的教學依據，而且運用既有的館藏。

　　首先利用投影片，幻燈機或電影片來介紹「金門的歷史，人物，位置，地利，風土」，並把有關的地圖，地理模型，或是由學生共同設計「沙盤」，以促進對金門的地理位置，地形之瞭解，進而瞭解金門的產物及地理重要性，因蒐集金門近況的「剪輯」、故事、散文、戲劇……等找出一些以金門為著作背景者，供學生課後深入研究之用，另一方面，更應指導學生應用百科全書、地理資料、地圖集和傳記資料中尋找所需之訊息，甚至可以指導使用有關書目、索引、摘要，以期作更深入的研究·如此，學生必能獲得最佳之「學習效果」。

　　所以，成功的教學活動，必須是「圖書教師」與一般教師通

力合作，教學之品質方能提高，而學生之學習亦能提昇，圖書館的「館藏」也就充分發揮其效益了。

第七節　圖書教師與小朋友

小朋友是一群求知慾最強的讀者，好奇心也無人能出其右，所以，他有問不完的疑團，也有打破砂鍋問到底的毅力，但是，他們因生活經驗欠缺，所學知識又不足，所需的鼓勵與讚美尤爲殷切，圖書教師應在各種不同的狀況下，運用巧妙的手法，讓小朋友得到適度的鼓勵和讚美，使他們更具信心，以完成學習，我們可以從下列方式著手：

一、提供最合適其程度的資料媒體，鼓勵他們利用：

學生到館，大都滿懷希望而來，若因資料不合其程度，必因無法接受而索然無味，甚至悵然而返，放棄學習，如能協助提供契合程度，則有倒吃甘蔗之感，進而增強信心，發憤向學，成效必佳。例如：某生想知道讀書的方法，您若介紹王熙元等諸博士所著的「讀書指導」❷給他，雖此著作無可置啄，對一位國民小學的學生來說，除非他對國學有特殊造詣，否則難以吸收，甚至因其挫折而生厭惡，進而排斥，斷送其錦繡前程。

二、利用參考書解習題：

學生因演練習題發生困難時，鼓勵他進館利用參考書，並給他適當的協助與輔導，以解決其困難，對學習增加興趣。

三、推介館藏，以廣招徠：

印製新書目錄或優良讀物目錄，分發各班並張貼於佈告欄，介紹館藏給師生，使他們瞭解館藏而利用館藏。

四、參考書選介：

利用聯課活動或適當時間，分別專門為各班單獨介紹參考書及指導其用法與時機，使他們瞭解館參考書及其用法，進而具有利用能力，以解決學習上的各種問題。

五、班　訪：

利用時間，分別率各班至圖書館參觀，並詳為解說，任其提出各種問題，並充分予以解答，更空出時間，給予自由閱讀。

六、精品展覽：

利用時機，精選館藏，提出展覽，藉以提高學生閱讀興趣。

七、與教學和學習結合：

印製各科各單元與教材相關之參考書，分送各班，以協助小朋友預習與復習功課。

八、輔助教學：

錄製各學科各單元教學活動之錄音與錄影帶，以輔導學習低成就之小朋友，恢復其信心，增強其學習❸。

九、活動配合：

舉辦各種圖書館活動，以增強圖書館利用知能。

小朋友也可以利用自己的時間，協助圖書教師處理一些能力可及的事，例如：

一、到圖書館當「義工」：

一方面協助圖書館業務之推展，一方面可從工作中獲取圖書館利用的知能與處事技能。

二、推介書刊：

當小朋友在學習或閱讀過程中，如果發現某些書籍或期刊很好而且很需要，可以向圖書教師推介，經審查後，依程序購置，提供使用，這樣，一方面可以解決小朋友自己在學習或閱讀需要，另一方面可以彌補圖書教師在資料蒐集之完整。

三、提供資料陳設或館內佈置的意見：

當小朋友在利用資料的過程中，如果發現某些資料擺放的位置不方便取用，或館內佈置有所欠缺或過度陳舊，都可向圖書教師提出建議，以期在最舒適和諧與方便的氣氛與環境中，獲得最完美的學習，圖書教師如認您的意見有所不適時，也會詳細解釋不能依照您的意見更改的原因。

四、遵守圖書館規則，善於利用圖書資料就是對圖書館最大的協助：

小朋友進館，如果能輕聲細語、愛護圖書資料……遵守圖書

館各項規則，館內必秩序良好，圖書資料亦井然有序，這樣就減少圖書教師許多負擔，可以多出時間做更多的事，提高更好的服務，如果小朋友善於利用圖書資料解決學習上的疑困，這是圖書教師最好的鼓勵，也是最悅耳的掌聲。

第八節　圖書教師與圖書館社團

如果各國小能於聯課活動中，成立圖書館社團，吸收對圖書資料有興趣的小朋友，給予適當的指導，藉以啓迪其運用資料的能力，並培養其閱讀能力與興趣，同時還可協助圖書館業務之推展，不論對同學或學校均爲一舉兩三得之舉。

凡校內同學均具參加資格，正式申請加入後，給予下列訓練：

1. 書碼（索書號）的認識
2. 各種目錄的認識
3. 館內資料的排架
4. 目錄的寫法
5. 目錄卡片的排列
6. 出納手續
7. 圖書修補
8. 各種參考書的認識與利用
9. 剪輯資料的蒐集與製作
10. 摘取大意與心得寫作

經上列學習之後，可以視爲「小小圖書館員」，協助館務工作之進行，使從工作中學習各種辦事能力與方法，如出納工作、

目錄卡片之抄寫、書標、書後袋、書後卡之書寫與黏貼，讀架與書架之整潔等，均可委由小小圖書館員來處理，而圖書教師因小小圖書館員的協助，可以彌補因「無編制人員」的困境，又可節省許多寶貴的時間，從事讀者服務的工做，提供最好的服務。

第九節　圖書教師的培育

依據民國七十七年花蓮師院圖書館所作的「台灣省立師範學院圖書館管理服務專題研究」中「國小圖書教師問卷結果統計」指出，過半數的受訪國小圖書教師未曾接受圖書館學專業訓練，而圖書館科系畢業者僅佔2.27％**㉛**，參加短期「在職訓練」者也只36％而已，從這個統計數字看來，目前國內的「圖書教師」幾乎全都是「無照營業」的，對圖書館教育的基礎來說，頗爲憂慮，且再也不容忽視了。

我們瞭解，在國民小學圖書館服務的圖書教師，必需具有國民小學教師資格，同時應具圖書館專業訓練，所以，圖書教師的主要來源如下：

1.師範大學社會教育學系圖書館教育組畢業者。
2.師範或師專或師院畢業，修習圖書館學二十學分以上者。
3.大學圖書館學系或教育資料科學系畢業後，考入各師院國小師資科修習結業者。
4.大學圖書館學系或教育資料科學系畢業後，修習教育學分二十學分以上者。

然而，師範大學爲中學師資培育場所，所以師範大學社會教

育學系圖書館教育組的畢業生大都到中學去服務，至於師範或師專或師院畢業修習圖書館學分者，到目前為止，寥寥無幾，大學圖書館學系或教育資料科學系畢業後，考入各師院國小師資科修習結業或至師範院校修習教育學分者，亦是鳳毛麟角，所以，目前全國有國小進三千所，其中合格的圖書教師難以聘請，因此，筆者建議：

1. 省市立師院設立圖書館教育學系正式培育。

2. 省市立師院於初等教學系或社會教育學系內設置圖書館教育組，提供圖書館學二十學分以上之修習。

3. 省市立師院於進修部招收大學圖書館學系或教育資料科學系畢業之學生，給予教育學分之修習。

4. 省市立師院於進修部開設圖書館學科目提供在職教師選讀，修滿給予學分證明。

註　釋

❶　教育部國教司編，國民小學設備標準（台北市，正中，民70），民70年1月31日國字第3287號令頒佈。

❷　同❶，頁91。

❸　中國圖書館學會第31屆會員大會提案第五案，詳中國圖書館學會第31屆大會暨成立30週年慶祝大會資料，頁38。及教育部73年4月9日台(73)國字第12532號函。

❹　同❶，頁98。

❺　詳台北市教育局74.11.25.北市教一字第64250號函。

❻　詳中國圖書館學會會報第27期，民64年12月出版。

❼　據中華民國統計提要（民80年版），民國79學年度有國民小學共2462

所，每校需圖書教師1-3人，僅畢業九十餘人，距需　要量3000人太遠。

❽ 台北市教師研習中心每年均辦在職訓練之「圖書館專業訓練」，省教育廳所屬之板橋國民學校教師研習會也經常舉辦相同之研習。

❾ 中國圖書館學會每年暑假均辦「暑期圖書館工作人員研習會」為期六週，均設中小學圖書館組，參加者非常踴躍。

❿ 依前國立中央圖書館館長王振鵠教授解釋，叢刊（SERIALS）、官書（GOVERMENT PUBLICATIONS）、小冊子（PAMPHLETS）、剪輯（CLIP-PING）、視聽資料（A-V MATERIALS）、縮影微片資料（MICOREPRO-DUCTIONS）等均謂特殊資料。

⑪ 以台北市首善之區，據筆者民國76年之調查，完全未編目者尚有13.12％。詳拙著國民小學圖書館經營之研究，台北市，撰者，民76，頁47。

⑫ 登錄編目分類均可用個人電腦（如用迷你級以上更好）處理，省時省力又美觀。台北市北投區清江國小王繁森老師與筆者共同開發之圖書館作業系統已有五十餘所包括五專、高中、高職、國中、國小圖書館利用，尚稱便利，可往清江國小參觀洽用。

⑬ 如註12所稱之各五專、高中、高職、國中、國小圖書館間，相互將已分編完成之資料提供利用或形成網路相互支援，非但節省人力、經費，更延伸館藏，擴展學習與研究效果。

⑭ 詳拙著，淺談國民小學圖書館的「參考服務」，台灣教育輔導月刊第35卷7期（民74年 7月）， 頁17-19。

⑮ 詳台北市國民教育輔導團國小圖書館輔導小組編，國民小學圖書館工作手冊（台北市，編者，民74），頁47-52。另見尤保善撰，兒童圖書館教育的借鏡和企盼，國語日報（民72.8.9），第三版。

⑯ 詳郭麗玲撰，優良教學法的重要條件：資訊利用，台灣教育第390期（民72.年8月），頁8-16。

⑰ 詳拙著，國民中小學圖書館之經營（台北市，台灣學生書局，民78），頁231-242。

⑱ 詳劉貞孜撰，學校圖書館利用教育趣味化，國教月刊　V35N9,10 78.06 p.9—14。

⑲ 詳中村明美撰，兒童活動にあけう學校圖書館的活用，初等教育資料

第459 期（1984年4月），頁20-23。

⑳ 同⑰，頁283-284。

㉑ 詳Watt, R.J. Leo "A Guidebook and Directory for Teacher-librarians on school-based in-serice studies in school librarianship :2", Kelvin Grove College of Adveanced Education,Victoria Park Road,Kelvin Grove, 4059,Brisbane,Queensland,Australia,1979

㉒ 詳Craver, Kathleen W."The Future of school library media centers: a look at the impact of technology upon library media program development", SCHOOL LIBRARY MEDIA QUARTERIY ,Vol.12 No 4 （summer '84）,266-284p.

㉓ 詳拙著，淺試釋「多媒體教學中心」，台灣教育輔導月刊第33卷9期（民72年9月），頁18-21。

㉔ 詳藍乾章撰，圖書館行政（台北市，五南，民71），頁6。

㉕ 教育部民71年7月7日台(71)參字第23011號令公佈，詳教育部公報第91期，頁4-8。

㉖ ·同㉓。

㉗ 推介單如下圖

如果 您發現值得推薦的好書，請告訴我們，以便買回來，供大家共享。
請寫：
　書名：＿＿＿＿＿＿＿＿＿＿＿＿＿
　著者：＿＿＿＿＿＿＿＿＿＿＿＿＿
　出版社（書局）＿＿＿＿＿＿＿＿＿
　出版年＿＿＿＿＿＿＿＿＿＿＿＿＿
　您的班別：＿＿年＿＿班 姓名＿＿＿＿

圖二十一 小朋友用推介單

如果　您發現值得推薦的好書，請告訴
我們，以便買回來，供大家共享。
請寫：
　書名：_____
　著者：_____
　出版社（書局）_____
　出版年_____
　您的姓名_____

圖二十二　　教師用推介單

㉘ 所謂期刊目次選粹就是依讀者之專長選擇一定數量之期刊，以爲研究
所需，圖書教師定時將該期刊之目次影印彙送各讀者，方便其研究，
以掌握資訊，不致遺漏。

㉙ 王熙元等 ：讀書指導，南嶽出版社，民66。

㉚ 目前市面已有各科教學之錄影帶，可選購運用。

㉛ 花蓮師院圖書館研究，台灣省立師範學院圖書館管理服務專題研究
（花蓮，撰者，民77），頁253-254。

第柒章　BBS資訊站與師院圖書館輔導

第一節　緣起：國小圖書館的困境

自民國五十七年九年義務教育實施起，國小解除了升學的壓力，按理說，教學正常化應該沒有問題的，爲甚麼到現在仍然無法『教學正常化』？究其根本，問題出在家長與老師和社會，當然，教育行政機關也不能置身事外，肩挑教育重任的我們──教師與學校更不能說『與我無關』。

然而，看看學校與老師，目前在自由地區的台灣，人們過著富裕祥和的生活，各國民小學卻因『地方財政困難』而在過窮困的日子，教師們爲了教學而提出『購置輔助器材』時，卻以『經費無著』而作罷，例如：各校圖書館的『購書經費』始終是『零預算』❶，圖書館人員也是『零編制』❷，那麼，圖書館是否只是一間空房子？以甚麼來支援教學❸，拿甚麼來延伸學生的學習，教師們只好『因陋就簡』或『自我突破』來滿足學生的學習與家長提高教學品質的要求，教師雖也曾自我期許，究屬有限，倘有完善的圖書館提供高品質的服務，非但教學品質提高，學生之學習能充實，而『教學正常化』之實施指日可待，且我國的學術研究環境因而改善，學術水準也必因而提昇。

　　目前國小圖書館最大的困難在於沒有分編人員從事『技術服務』的工作，雖然國小設備標準的圖書設備標準規定校長應指派教師兼『圖書教師』，但是他們少有受『圖書館專業訓練』❹的，因此，國民中小學圖書館的發展陷入瓶頸，雖然各校圖書館的館藏不多，也許三五千，或四五萬冊，但是一堆未予分編的圖書資料，對一位沒有圖書館專業訓練的館員來說，如何著手已經傷透腦筋了，還要實施讀者服務，實難想像，更違論落實圖書館利用教育了。

　　過去，筆者曾三番五次的請求中央圖書館以其強大的分編專業人才爲兒童讀物進行分編，然後出售目錄卡片給國小，但未被接受，也曾疾力奔走於兒童讀物出版商，請其於讀物出版前先作預行編目（CIP）工作，亦無功而返（近年因學會與中圖的努力，已有許多出版商參與進行），俗云：『求人不如求己』，因此，痛下決心，設法爲國小圖書館設計一套可行的策略，提供各國小運用，解決國小圖書館因無分編人員的技術服務困難，以勻出更多時間來從事讀者服務與圖書館利用教育工作之推行，同時也可以使資料處理標準化。

第二節　BBS與國小圖書館

一.BBS是甚麼？

　　BBS（Electronic Bulletin Board System）俗稱『電子佈告欄』或『電子公佈欄』，它是一種藉電腦（或個人電腦）與數

據機（modem）經由電訊途徑傳輸訊息的程式或系統。

如果您是一位經常使用個人電腦的文化工作者，您是否想與同好或知音好友共享您的成果，過去，您必需以磁片將您的作品『錄進磁片』，帶去您的好友處，將它轉入他的電腦，然後才能共享快樂，這樣跋涉往返費神耗時，如果能由電腦直接傳送過去，『以電腦直接溝通』不是省時又便捷嗎？BBS就是提供這項服務，只要在電腦旁加一『數據機（modem）』，以家中的電話線路傳到友人家，經數據機轉入電腦，就這樣把喜訊送達好友，不但省跋涉往返之勞，而且收即時之效，說來道理很簡單，電腦把訊息（二進位碼Binary Code）交給數據機，數據機把這訊息轉換爲音頻的類比波（Analog）交給電信局的電信網路傳送，而達您的好友處，再經數據機將音頻的類比波轉換爲電腦能辨識的二進位碼（Binary Code），就這樣您與好友知音即可藉電腦傳輸訊息了。換句話說，數據機能將電腦的訊息轉換爲電話線路能傳輸的電波，也能將電話線路能傳輸的電波轉換爲電腦能懂的訊息。

過去您想把一些報告、論文或有關訊息傳送給友人或友館時，您可能會想到郵遞信函或由電子傳眞，在分秒必爭的現代，郵遞信函在時間上有緩不濟急之感，電子傳眞雖較省時❺，若將檔案壓縮後以BBS 傳送則更驚人，但是，一則傳眞無法即時回覆或立即交談，二來所有資料都印成紙本，若再重新輸入爲電腦檔案，亦需相當時間，因此，使用起來稍感不便，於是電子郵件（E-Mail即Electronic mail）應運而生。

所謂電子郵件就是經由電腦網路在彼此電腦檔案中開設有如信箱的區域，彼此可在這檔案區內互通訊息，這一訊息自然可包

括報告、論文與電腦檔案，甚至整個資料庫傳輸均可，然而，電子郵件需要完整的電腦網路系統，又要相當的設備，一般人恐不易享受。

二、BBS需要那些設備

一般說來，BBS 的設備在常使用個人電腦的朋友來說，只要添加少許的設備即可如願，試想，電腦（應有RAM192K以上，硬式磁碟機 60meg以上，如無請加裝)已有，家中都有電話線路（用來連線時不撥電話），買個數據機（Modem，速率2400 Baud rate 以上）只要三兩千元新台幣（若要速度快些的就貴些），此外，備一些通信軟體即可。如TELIX

三、BBS能為我們做甚麼？換句話說：『它傳遞甚麼訊息』？

一般BBS的玩家會用它來做甚麼？約可分下列幾種用途：

(一)檔案傳送：

電腦中常用的『檔案』，您自己撰寫一可愛程式願與同好共享，可以經由BBS傳送過去，或是您以某程式輸入整筆資料，願提供大家共享，以節省大家輸入的時間，也可以整檔傳輸給大家。

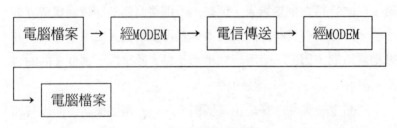

圖二十三　電腦檔案傳送流程

㈡訊息傳遞：

　　書信訊息可以寫在電腦中，以整筆檔案傳輸或是在螢幕上直接交談皆可。雖然目前電話或郵遞已經非常發達，但是，世界的距離也拉近了，但是，東西兩半球的晝夜作息尚難一致，因此，當您在上班時另一半球的同事朋友可能是熟睡的半夜，如果您一通電話，可能擾人清夢，待他上班時，您又已下班回家就寢，可能因資料在辦公室而無法連繫，因此，您可透過BBS將需要連繫事項一一設定於某時間傳送過去，對方只要起床或到辦公室，打開電腦開關就知道訊息而不致『耽誤要事』，也免於時差之苦。如您的單位組織較龐大，分支機構遍各地，要發公文或通知（如圖二），可於將下班時將它置於BBS上，它就會在您設定的時間自動撥號傳送給您設定的各單位，同時也可命令它列印，所以，第二天上班時各單位即可看到了。分支機構有公文報表要送總公司只要反向處理即可，而傳送過程均經詳細記錄，無失落錯誤之慮，責任自然分明。

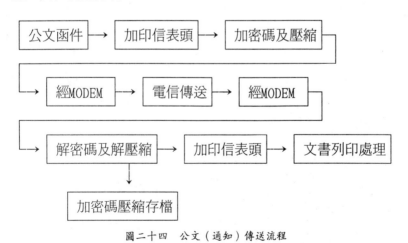

圖二十四　公文（通知）傳送流程

(三)解答顧客疑難：

公司行號將其產品的特徵功能故障排除……一一輸入，並有索引為導，透過BBS 以問答方式解答顧客疑難，可省雇專人接電話之薪資又可二十四小時服務，搏得顧客的歡心。

(四)行銷網控制：

在各分店設BBS，各收銀機有一定的程式將貨號與金額數量讀出，[貨品包裝均以條碼（Barcode）編號，收銀機以光筆或光罩等讀入]經MODEM傳入BBS 而達總公司，總公司即可對各分支機構的經營瞭如指掌。（如圖三）總公司亦可據以統計行銷，也藉以補充與調整貨品數量，一則明瞭各分店的營運情形，二來可以確實掌握倉儲運作，節省支出，增加盈收。

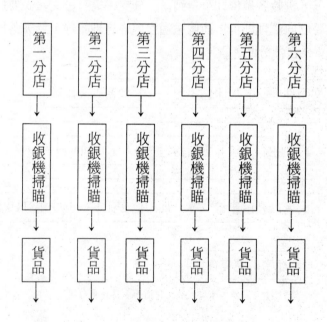

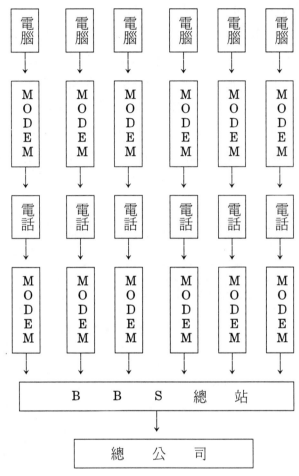

圖二十五 分支機構管理系統

四、BBS用於國小圖書館

(一)書目交換：

　　過去各館除非編印書本式或活葉式目錄，否則難以交換運用，然而，編印書本式或活葉式目錄又非每一館的人力與財力所能及，況且時間也不經濟，倘以磁片或磁帶雖省卻許多時間製作與人力，若路途較遠亦不方便，如雙方都有BBS，則可直接 Download，這Download來的書目，可用作採訪與編目的參考與運用，因為他館已編妥的書目，我館購此書時不需重新輸入再行分類編目了。如書目資料檔過於龐大，可先行分類或分檔，再行壓縮後置於 BBS中，可以節省傳送時間而減少電話費的支出。

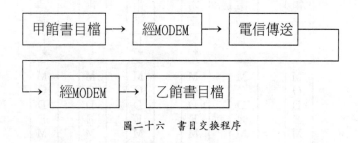

圖二十六　書目交換程序

(二)分工建立資料庫，提昇參考諮詢：

　　以每一館分別選一類科從事資料庫的建立，建妥置於BBS 大家取回組成大而完整的資料庫，對缺乏人員的國小圖書館尤其迫切需要，這樣以分工合作來完成大業，用以充實各館，資料充實了參考諮詢自然容易展開，效果也較好。同時也可給各教師各科教學之補充資料。

(三)參考諮詢問題解答：

　　圖書館可以把讀者過去常提出的參考諮詢問題輸入，並作適當的解答處理，以問答（Q&A）的方式提供服務，甚至可以商得

有關單位同意，直接將其資訊轉入，如氣象局之氣象預報，鐵公路及航海航空之時刻表，常用緊急電話號碼……等，以索引方式作Q&A，可作二十四小時之服務，必得好評。同時，累積讀者所提疑難問題，加以分析，可作圖書館利用教育及圖書資料選採的參考，亦可提供教務處供各教師各科教學佐助。

(四)實施圖書館利用教育：

以CAI的處理，將實施圖書館利用教育的基本知識分成許多章節檔案，有系統有層次的供讀者擷取運用，亦可提供圖書教師教學之參考。

(五)新知通告：

最新資訊的提供，不論是新書通告、科技新知、最新名詞、新聞用語、甚至最新相關消息、圖書館界大事……等等均可置入BBS，各館或讀者均得享用。

(六)成立輔導網：

目前，各師院是國小圖書館的輔導中心，各國小圖書館的若有任何經營或教學上的疑難，各師院大都分別排定日程前往輔導或以電話信函答覆，所以，排日程緩不濟急，電話信函答覆雖較快速些，但有些狀況（如電腦問題）總覺隔靴搔癢之感，因此，師院如設BBS總站（如圖五），師院可以透過BBS明瞭各國小圖書館的情形，然後才能對症下藥，提供有效之處方予以輔導。一則可免因幅員廣大，師院教師疲於奔命影響外出意願，二則不因學校數量眾多而排隊等候，緩不濟急之慮，能收即時解困之益。

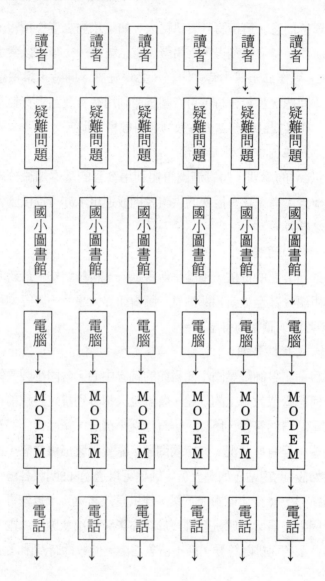

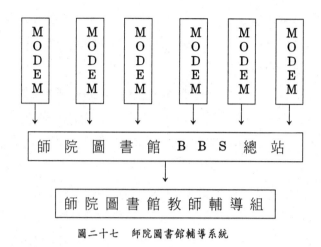

圖二十七　師院圖書館輔導系統

(七)問題討論：

　　做學問求知識的路上，每個人都會有困難的時候，同時，每個人在他能力所及範圍內都有一顆樂於協助他人解決困難的心，因此，只要您願意把您的問題投向BBS，就有許許多多相同領域的同好高手專家，提出各種『處方』讓您選擇，以期『對症下藥』；當別人有困難時，您也可以提出您的看法或見解，給他作個參考，也就這樣，一個問題或疑點，經多數人的探討，結論必較客觀，思慮也較週延。甚至一個頗具規模的『學術會議』可就在此展開。這也是『生涯教育』的一環。

五、舒解國小圖書館困難之鑰

　　前面談過目前國小圖書館最大的困難在於沒有分編人員從事『技術服務』的工作，雖然國小設備標準的圖書設備標準規定校長應

指派教師兼『圖書教師』，但是他們少有受『圖書館專業訓練』
❻的，因此，一堆未分編的圖書要如何來實施讀者服務，更遑論
落實圖書館利用教育了。

　　如果有一機構（可責成師院圖書館）願意辛苦一點，將兒童
讀物以及與國中小教學的相關書籍資料予以蒐集分編整理，然後
往BBS一放，需要的圖書館各自錄回，不是一人辛苦，萬人享用，
將是功德一件，萬千學子受惠而銘心。

　　國內對兒童讀物的蒐集與整理頗具規模的國立中央圖書館台
灣分館……等，他們都已經把資料蒐集且經分編整理，若能捐除
一己之私，提供其辛苦的心血結晶，貢獻全國國小運用，可以爲
我國庫省下億萬預算，節省數千人力，造福百萬兒童，若能把這
些館的資料整合成書目中心，運用BBS傳送檔案的特點，由各國
小自行取用，解決國小圖書館因無分編人員的技術服務困難，勻
出更多時間來從事讀者服務與圖書館利用教育工作，眞是利人利
己。同時也可以使資料標準化。

　　倘以分工合作方式進行，將各種參考工具書分別由各校圖書
館輸入後，送進BBS資訊站，提供參考諮詢之需，就這樣，有的
館任分編，有的館作參考，有的館辦採選，所得資訊都往BBS傳，
各館取其所需，方便異常。

　　若將各種教學媒體輸入變成電腦檔案，置於資訊站供大家取
用，而各校也設有BBS，那麼，各校可以將教學有關檔案取（錄）
回，提供教學之需，尤其是偏遠地區教學資源缺乏，頗足珍貴，
也是平衡城鄉教育的利器。

第三節　師院圖書館BBS資訊站簡介
——以花師圖書館為例——❼

　　過去，由於花師圖書館就地拆除改建，不得不搬遷於普通教室改裝的臨時館舍，然而，同仁們並不因館舍的簡陋與狹小而喪志寡歡，反而因新館之將成寄以厚望，積極籌劃奮發，花師圖書館BBS資訊站就在這時草創，同時與北投的清江國民小學圖書館資訊站齊步發展，因為，這兩個館都是筆者服務的所在，藉著BBS 資訊站的連線，使我們的各種資料迅速成長。

　　花師圖書館BBS資訊站，嚴格說來它是花師圖書館的兒童圖書室，我們設BBS資訊站的目的在於協助國民小學圖書館的建立與研究國民小學圖書館經營上的各種策略，祈使國民小學圖書館經營的落實，而利圖書館事業的發展，與未來學術研究風氣的提昇及研究環境的改善，同時給與修習『小學圖書館學』、『兒童圖書館學』與『兒童文學』等學程的同學實習與研究之需。

　　本資訊站設於花師圖書館的閱覽組兒童圖書室，由於電話線路的不足，目前僅設一專線供連線使用（038-234357），提供二十四小時不休假服務，所以，大家可於課餘公暇（下班及假日照常開放）之時，以輕鬆的心情，打開您的電腦，進入本站，運用資料，藉以提升您的圖書館服務品質，為期大家對其有所瞭解，簡單介紹於後：

一、本資訊站的設備：

　　㈠軟體部份：

1.通訊站主系統使用版本，已經修改爲中文化。

2.通訊軟體使用TELIX，已經修改爲中文化。

3.中文系統採用[倚天]。

(二)硬體部份：

1.主機使用CPU 80386-33C　58MHZ。

2.顯示器是MONO/SYNCO。

3.硬式磁碟機一部，120 Mb （CONNER）。

4.數據機2400包率（TOPLINK TL-2400 ST）。

5.電話線路038-234357（資訊站電話專線）。

二、利用本站所需配備：

(一)一部RAM192K以上的IBM或其相容XT,AT. 最好是Turbo AT。

(二)一個硬碟，越大越好，最好有60Meg以上。

(三)一部MODEM越快越好，至少也應有2400 Baud rate。

(四)一條可外撥的電話線路。最好是專線。

(五)Telix軟體

(六)中文系統採用[倚天]。

三、如何進站

(一)您的電腦開機後進入倚天。

(二)進入通訊系統TELIX。

(三)撥接花師圖書館專線電話038234357花蓮地區直接撥
234357即可，目前24小時開放服務。

(四)然後依畫面指示操作即可。

㈣然後依畫面指示操作即可。

四、有那些服務項目

（詳主選單，當您依一定的程序進站之後您就可看到如下的
畫面，您可選擇所需之服務　，有關書目資料檔在一般檔
案服務區）

＊＊＊＊以下都是資訊站上螢幕畫面＊＊＊＊

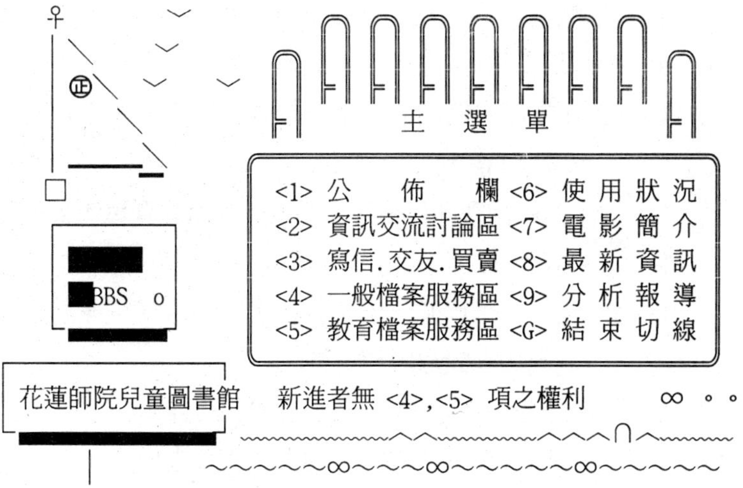

主　選　單

```
<1> 公　　佈　　欄  <6> 使 用 狀 況
<2> 資訊交流討論區  <7> 電 影 簡 介
<3> 寫信. 交友. 買賣  <8> 最 新 資 訊
<4> 一般檔案服務區  <9> 分 析 報 導
<5> 教育檔案服務區  <G> 結 束 切 線
```

花蓮師院兒童圖書館　新進者無 <4>,<5> 項之權利　　∞ ˳ ˳

圖二十八　師院圖書館資訊站之螢幕畫面

詳細說明如下：

㈠公佈欄　（可發佈各項消息，亦可作通告性的宣示）

花蓮師範學院圖書館 資訊中心最新動態

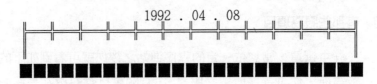

1992 . 04 . 08

81.04.08　遷新館，由陳院長迺臣博士主持啓鑰開館，並舉行酒
　　　　　會。

81.04.08　本館圖書安全系統正式啓用。

81.06.09　本院第二屆師院生及第七屆幼教科舉行結畢業典禮。

81.06.11—12　在本館召開國立大學院校圖書館第五次自動化規
　　　　　劃研討會。

81.06.30　由本館館長暨同仁撰寫『圖書館利用教育專輯』一書
　　　　　正式出版。

81.07.01—04　八十一學年度大學聯合招生本院負責花蓮考區，
　　　　　試務中心設於本館一樓。

81.07.03　施館長代表院長與空大簽訂圖書館合作契約。

81.07.04　施館長赴美進修，館務暫由閱覽組蘇主任代理。

81.07.05　本館圖書條碼製作及黏貼工作全部完成。

81.07.06　本館出納流通自動化系統正式啓用。

81.07.06　暑期部開始正式上課，本館調整開館時間如下表：

花蓮師範學院圖書館暑期開館時間表			
	上　　　午	下　　　午	夜　　　間
星期一 至 星期二	10:00—11:30	13:00—17:00	19:00—21:00
星期三	館　務　會　議		
星期四 至 星期五	10:00—11:30		休　　　館
星期六 至 星期日	休　　　館	休　　　館	休　　　館

81.07.25　中國圖書館學會學校圖書館委員會假本館五樓舉行第
　　　　　三次會議。

81.07.31　編目組主任周教授東山先生請辭。

81.08.01　吳教授福源先生聘兼編目組主任正式到職視事。

81.08.05　韓國扶輪社貴賓一行十三人蒞館參觀。

81.08.07　蘇主任與楊編審應精鐘商專之邀前往協助指導圖書館
　　　　　規劃事宜。

81.08.10-11　精鐘商專派圖書館主任等三員前來本館參觀與見習。

81.08.14-15　進修部假本館五樓設學士後師資班及幼專學分班招
　　　　　　生考試闈場及試務中心，本館暫停對外開放。

81.08.16　施館長赴美進修，學成返國。

81.08.20　楊編審赴台中中興大學圖書館參加有關著作權法研討
　　　　　會。

81.08.22　國小教師學士學位進修班第二屆畢業典禮。

81.08.24　本館自即日起實施全館打蠟清潔工作，暫停對外開放
　　　　　（還書除外），預定十天完成。

81.12.03　本館線上目錄查詢系統（OPAC）正式啓用。

81.12.03　為提升東部各級學校圖書館服務品質，假本館五樓舉
　　　　　辦自動化學術演講會，並舉辦自動化儀器展示會

81.12.03　由本館館長暨同仁撰寫『如何利用圖書館』一書正式
　　　　　出版，置本館服務台供讀者自行取閱。

81.12.06　中國圖書館學會在中央圖書館舉行八十一年度年會，
　　　　　本館閱覽組蘇主任當選該會監事。

81.12.10　為提高學生圖書館利用能力，特舉辦有獎徵答，本館
　　　　　讀者爭相搶答，場面極為熱烈。

㈡資訊交流討論區

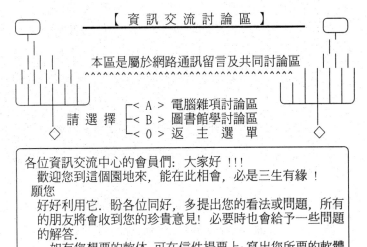

【 資 訊 交 流 討 論 區 】

本區是屬於網路通訊留言及共同討論區

請 選 擇 ─┌─< A > 電腦雜項討論區
　　　　　├─< B > 圖書館學討論區
　　　　　└─< 0 > 返 主 選 單

各位資訊交流中心的會員們: 大家好 !!!
　歡迎您到這個園地來, 能在此相會, 必是三生有緣 !
　願您
　好好利用它. 盼各位同好, 多提出您的看法或問題, 所有
的朋友將會收到您的珍貴意見! 必要時也會給予一些問題
的解答.
　　如有您想要的軟体,可在信件提要上: 寫出您所要的軟體
名稱.
　　如本中心有暨不涉及版權問題的話, 您將可在一兩天之
內取得.
　　其他軟体在檔案區有的; 均可自由取用 !!!!

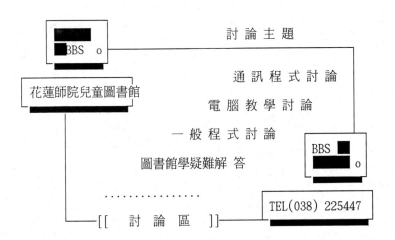

討 論 主 題

BBS o

通 訊 程 式 討 論

花蓮師院兒童圖書館

電 腦 教 學 討 論

一 般 程 式 討 論

BBS

圖書館學疑難解 答

TEL(038) 225447

‧‧‧‧‧‧‧‧‧‧‧‧‧‧

─[[　討 論 區　]]

將您的學習過程中，獲得的心得，經驗或遇到的難題，發表出來，供大家參考，一則肯定您的努力，二來減少大家一些不必要的嘗試和摸索，勻出更多的時間，從事更好的研究。

㈢寫信、交友、買賣

A.寫信：本區提供私人之間，情感的交流，日常偶發事件的聯絡。

B.交友：本專欄主要為社會大眾提供互相溝通、認識之機會，使大家擴展生活層面，增進彼此的人際關係，特別歡迎介紹未婚男女參加。

C.買賣：本區提供使用者將自己不需要書籍或是有價值的物品，互相交流與買賣之機會，在您手中的廢物可能在別人身上再顯神功，以達廢物利用與資源回收之效。

您或您的親友需要朋友嗎？

...需要伴侶嗎？

本專欄提供這項服務，請您參與並

介紹或替您的親朋好友填寫問卷一起共襄盛舉...

　　※ 未填擇友問卷，無權讀取擇友名冊

　　※ 尋伴問卷，絕對保密。

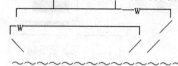

㈣一般檔案區：

　本區提供各校圖書資料之傳輸交流，利用數據機傳送檔案的功能各館把已分編完成的資料檔傳送到資訊站，各館亦可自資訊站將所需資料檔取回運用，以達到" 一館編目；多館受益" 之合作編目目標。

	一般檔案 A 區	還剩: 80 分鐘
A語 言 程 式 區 B工 具 程 式 區 C應 用 程 式 區 D電玩程式GAME區	E通 訊 程 式 區 F一 般 檔 案 區 G圖書資料交流區 H最新安裝程式區	1按日期先後查詢 2按部份檔名查詢 3按檔案全名查詢 0返 主 選 單

>>>>>>>>>　請 選 擇 一 項 開 始　<<<<<<<<<

㈤教育檔案區：

　本區提供個人自行設計之教育程式庫，利用數據機傳送檔案的功能，以達到軟體互相交流的機會，共享成果，造福學生與社會。

㈥使用狀況：略

㈦電影簡介：略

㈧最新資訊：略

㈨分析報導：略

㈩結束切線：略

五、整個系統架構是這樣的：

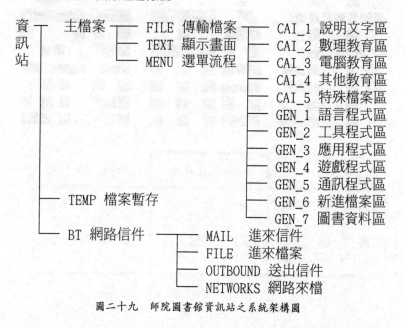

圖二十九　師院圖書館資訊站之系統架構圖

　　從以上架構可以瞭解花師圖書館資訊站所提供的服務與肩負的責任，雖然最主要的工作在於圖書館教育的推展，藉資訊站的功能由點而線，最後達於面；也由先『有圖書館』的設立，繼之而『能用』，最後達到『受歡迎』，因此，它可以做到圖書館經

營與圖書館利用教育實施的輔導,進而輔導各科教學,以及提供各種輔助教材,以期教學順利的推展。

因此,我們在師範校院圖書館自動化規劃及整合發展計劃中針對師院與國民小學擬訂了『圖書館利用教育計劃』,以期對圖書館教育的發展從教材的編撰、媒體的製作、教法的研習作上作最確實而有效的設計,更提供師院輔導的指標,其計劃內容如下:❽

師範學院圖書館自動化規劃及整合發展計劃

計劃單位:國立花蓮師範學院　　連絡人:　蘇國榮

Tel.:(038)227-106轉138　　Fax.:(038)224-972

一、分項計劃名稱:

圖書館利用教育計劃

二、依　據:

㈠教育部「發展及改進師範教育五年計劃」辦理。

㈡「全國各師範校院圖書館自動化規劃小組第一次會議」(80. 10.18)之決議辦理。

㈢全國圖書館會議(民78.2.21—22.教育部主辦,中國圖書館學會協辦)議決:

　1.各師院辦理圖書館經營與教學研習會,充實各國小學教師圖書館利用教育之基本知識。

　2.建議在各師範學院內設立圖書館教育學系(組),培育中小學圖書教師師資之主要來源。

三、目　標:

㈠訓練具圖書館專業之圖書教師，經營國小圖書館。

㈡落實圖書館利用教育，以使個別研究與終生教育的理念與知能在國小發芽與生根。

㈢培育師院生各種『圖書館利用』知能，以從事學術研究與準備未來教學生活。

四、預期效益

㈠調訓國小圖書教師（在職訓練），補足其圖書館專業知能，以利圖書館利用教育之推行。

㈡編撰國小圖書館利用教學綱要、教材、教學指引，並製作教學媒體，提供充分而適切之教學工具。

㈢改進國小閱讀指導之教學，從欣賞閱讀更進而為資料之蒐集、引用與整理，更推展至學術論文之撰寫與個別研究之啟迪。

㈣提升師範校院學生圖書館利用之能力，同時解決各師院圖書館組主任之人員聘任與其經營之困境。

五、工作分配：

㈠成立國民小學教師圖書館利用教育研習規劃小組，由東師院負責召集，其他師院協辦。

㈡成立國民小學圖書館利用教育教材編輯小組，由花師院負責召集，其他師院協辦。

㈢成立國民小學圖書館利用教育教學媒體製作小組，由花師院負責召集，其他師院協辦。

㈣成立師院生圖書館利用教育教材編輯小組，由花師院負責召集，其他師院協辦。

(五)成立師院生圖書館利用教育教學媒體製作小組，由花
　　師院負責召集，其他師院協辦。

六、工作流程

(一)圖書教師的調訓（在職訓練），各師院每學年辦理其
　　輔導區內各國小圖書館之圖書教師及一般教師之圖書
　　館利用研習，以加強對圖書館利用教育的認識。

(二)撰寫國小『圖書館利用教育』教材及教學指引，供各
　　國小教學之需。

　　1.圖書館利用教學綱要的制訂。

　　2.圖書館利用教材的編撰（每年兩冊，五年完成）。

　　3.圖書館利用教學指引的編撰（每年兩冊，五年完成）。

(三)製作有關『圖書館利用教育』教學媒體，輔助各國小
　　實施教學。

(四)錄製國小圖書館利用教學錄影帶每學期十二捲，每捲
　　二十分鐘。

(五)實施國民小學圖書館利用教育教學。

(六)成立各縣市國民教育輔導團圖書館輔導小組，從事輔
　　導工作並實施評鑑。各師院圖書館配合實習輔導處，
　　予協助與支援。

(七)編輯（撰）師範校院學生用圖書館利用教育教材。

(八)攝製（30分鐘）師範校院學生用新生訓練圖書館之旅
　　錄影帶。

(九)實施師範校院學生（一年級）圖書館利用教育教學。

(十)編撰圖書館手冊（師範校院讀者用，圖書館利用答客

問）。

七、經費預估

㈠教師研習（圖書教師）每年一期50人，三年完成每期
150 萬，計九校共三年150x9x3＝4050。

㈡教師研習（一般教師）每年二期，每期50人，五年完
成每期 150萬，計九校共五年150x2x9x5＝13500。

㈢編撰國小『圖書館利用教育』教材及教學指引。

　　1.教材：二至六年級共十冊20萬x10＝ 200萬（印刷費
　　　另計）每年20x2＝40。（如附件　　）

　　2.教學指引：二至六年級共十冊30萬x10＝300萬（印
　　　刷費另計）每年30x2＝60。（如附件）

　　3.編撰圖書館利用教育教材[師院生用]一冊20萬x1＝
　　　20萬（印刷費另計）20x1＝20每冊印五十本樣書，
　　　每冊印刷費5萬元　計5x21＝105。

㈣製作『圖書館利用教育』教學媒體錄製國小圖書館利
用教學錄影帶每學期十二捲，每捲五十萬元，50x24＝
1200二至六年級共五學年十學期，計一百二十捲六千
萬元（版權歸公，複製分發各校推廣利用，複製費另
算）。

㈤辦理輔導區各國小圖書館活動。

　　每年二次　計20萬元20X9X5＝900

㈥圖書館利用教育教材的編輯（撰）。

　　[師大師院生各一]　20x2＝40

㈦各師院圖書館成立圖書資訊站20X9＝180。

㈧新生訓練（師院生）圖書館之旅錄影帶攝製（30分鐘）

　　錄製圖書館之旅錄影帶攝製（30分鐘）一捲五十萬元

　　50x2＝100。

　　　（版權歸公，複製分發各校推廣利用，複製費另算）。

㈨編撰圖書館手冊（讀者用，圖書館利用答客問）30x2

　　＝60。

㈩ 經費分配：第一年（單位萬元）6005。

項　　　　目	經　費　分　配　（年）					合　　計
	第一	第二	第三	第四	第五	
圖書教師研　習	1350	1350	1350	0	0	4050
一般教師研　習	2700	2700	2700	2700	2700	13500
編國小教材	40	40	40	40	40	200
編教學指引	60	60	60	60	60	300
樣書印刷費	115	0	0	0	0	115
製教學媒體	1200	1200	1200	1200	1200	6000
圖書館活動	180	180	180	180	180	900
設資訊站	100	80	0	0	0	180

編師院教材	20	0	0	0	0	20
編師大教材	20	0	0	0	0	20
圖書館之旅	100	0	0	0	0	100
圖書館手冊	120	0	0	0	0	120
合　　計	6005	5610	5530	4180	4180	25505

單位 萬元

表四　圖書館利用教育計劃經費分配表

八、本計劃由規劃小組會議審查經大會通過，行文各師範校院並陳報教育部核准後施行，修訂時亦同。

註 釋

❶ 可查台灣省各縣市國民小學的預算書，您將發現『圖書』二字查不到。

❷ 國民小學的編制表中不見『圖書館』三字。

❸ 圖書館法（草案）第十二條謂：『中小學應設立圖書館，並以本校師生為服務對象，支援教學、教師進修並輔導學生利用圖書館』。

❹ 詳台灣省教育廳委託，花蓮師範學院研究，台灣省立師範學院圖書館管理服務專題研究，台灣省教育廳，民77，頁80。

❺ 林啓清先生在　『電腦通訊站的商業應用』一文中云：『兩張A4的文件傳真要一分半鐘，如用數據機　MODEM，一分半鐘可傳六張A4的文件』，若將檔案壓縮後傳送則更驚人，見第三波，No108 p.18-23 民80.08。

❻ 依教育部於民國七十年頒佈的國民小學設備標準中的圖書設備標準規

定：圖書教師應受圖書館學專業訓練，詳見教育部國教司頒修訂國民小學設備標準（民國七十年，台北市，正中書局，頁92）。

❼ 蘇國榮，BBS（Electronic Bulletin Board System）與國小圖書館的網路發展—清江國小圖書作業系統簡介—，中國圖書館學會會報第49期，頁153-168，民81.12。

❽ 教育部中教司主辦，台灣師大承辦，師範校院圖書館自動化規劃及整合發展研討會手冊，頁2.14—2.28 民81.02.頁27-28。

第捌章　結論與建議

第一節　結　　論

一、落實圖書館事業，由發展國民中小學圖書館做起

　　俗語說得好：『萬丈高樓平地起』，圖書館事業的推展，欲想落實且紮實，絕非把大學圖書館與專門圖書館弄好就可，因為能進入大學與專門圖書館的高等教育者到底是少數人，他僅佔總人口的小部份的點而已，如果能把各國民中小學圖書館做好（包括軟硬體），由於國民中小學是義務教育，也是每一個家庭都有份的，所以，它是全面的，普及的，散佈在全國每一角落的，果真可實現的話，每一個人從小就會利用圖書館，應用各種媒體資料，每一個人都有能力作研究，屆時，我們就不是人家所稱有銅臭味的經濟大國，而是有深度、有水準的文化大國。

　　為了達成上項目的，每一國民小學宜先有健全之圖書館。

二、設置圖書館教育輔導團，輔導各級圖書館

　　欲想圖書館事業的推展落實且紮根於國民中小學，首先成立全國輔導網，分區進行輔導，由中央圖書館與中國圖書館學會總負責，台灣師大彰化師大與高雄師大分別負責北中南區之中等學校，而省市立師院以其輔導區為輔導責任區，專責輔導國民小學

之圖書館利用教育。並訓練與培育圖書館利用教育所需師資，提供學術與技術之支援。

在省市教育廳局國民教育輔導團下設置圖書館教育輔導組（台北市已設），縣市教育局教育輔導團下亦設置圖書館教育輔導組，以輔導所轄中小學之圖書館利用教育，並督導與考核其圖書館利用教育成果，以爲行政執行一環。

目前台北市教育局國民教育輔導團下已設置國中與國小圖書館教育輔導科❶，由各國中小學的校長主任組長與教師組成，台北市立圖書館亦派員參與，其成員均爲師大社教系畢業的現職教師，圖書館學與教育專業均具，同時教育局更派一員督學隨行，以解決一般行政問題，所以，無論圖書館學或一般行政上的困難，這一團都可迎刃而解，在教學上，個個都是學驗俱優的上上人選，因此，在輔導過程中，圖書館利用教育之研究教學（俗稱觀摩教學）是他們的拿手絕活，每到一處，均先作示範教學而後談問題，這也是他們受歡迎之處了，非但如此，該團更於每學年開始即分函各校提出疑難，然後排定日期，分區輔導，每週如期進行，積效卓越。

但是，其他各縣市教育局國民教育輔導團下雖然也設置國中與國小圖書館教育輔導科，然而，因爲限於經費與人才之困難，心有餘而力不足，大部分每學期僅作一次蜻蜓點水式的走走，未能發揮其應有之功能，或許因台灣省幅員較廣，輔導人員不亦獲得，各縣市又因經費無著，有其不得已的苦衷。

三、各師院圖書館設置BBS資訊站，進行合作編目與採選，以科技進行輔導

　　過去數十年來圖書館界一直提倡『合作編目』與『合作採選』，但是，直到今天，相同的一本書，在全國可能不少於兩千人在重覆的抄寫其書目資料或以電腦輸入，他館精心選擇而採購的書籍資料媒體，我們無法享用（甚少出版書本式目錄），也要費心選擇，就這樣抄錄騰寫，不知浪費多少館員的青春，倘能於各師院圖書館廣設BBS資訊站，以其專業人員的力量及較豐沛的書目資料，服務其輔導區內的各國民中小學圖書館，再以擷取檔案程式選擇，那麼，多少的書目檔案就一下『ENTER』就可進入您的圖書館檔案，至於他館精心採選的書目資料，我們一樣的以一下『ENTER』就獲得了，昔日夢寐以求的『合作編目』與『合作採選』就這樣簡單的實現了。

　　圖書館可做的事很多，除了『合作編目』與『合作採選』之外，圖書館利用教育、圖書館活動、參考諮詢、編製各種小冊子……都可將資料置於BBS資訊站，供各館或讀者自行取用，方便自己也方便別人。❷

　　這個BBS資訊站所費不多，各館（校）可設小型站，而各師院師大及圖書館輔導團則設大型站，提供輔導資訊與各小站送回資料之整合，各小站可向大型站取回所需各種資料，亦可請求各種輔導，彼此都節省寶貴的時間，用以提供更多更好的服務，您認為可行嗎？倘有疑問請直接進花師圖書館（038-234357）與清江國小圖書館（02-896-2915）資訊站洽詢，亦可直洽該館，相信會有滿意的收穫。（花師圖書館電話038-227106轉138，清江國小圖書館電話02-891-2764轉圖書館）

第二節　建　議

一、修訂國民小學組織，於校長之下增設圖書館主任，負責國民小學圖書館經營與圖書館利用教育教學事宜。

在國民教育法及其施行細則中，『圖書館』三個字未列於其中，因此，各國小均將圖書館置於教務處之設備組之下，由於受組織位階之影響，層層受限，無法施展其功能，如能仿高中設圖書館主任於校長之下，一則直接向校長負責，校內各種會議均得參與，對學校發展有所瞭解，業務更能配合，二則既直屬校長之一級主管，經常得提出主管之業務報告，無形中給與工作之壓力，不得不全力以赴，以期有所表現，對館務之進展助益尤大。

然而，國民小學中因受學區所限，較偏遠之區迷你型學校，因學生數與班級數較少，則置於教務處之下，國小二五班以上設圖書館主任為佳。

二、為健全國小圖書館之發展，各師院應設系或組，開授圖書館學相關課程，以培育健全而充裕之圖書教師。

依據民國七十七年花蓮師院圖書館所作的「台灣省立師範學院圖書館管理服務專題研究」中「國小圖書教師問卷結果統計」指出，過半數的受訪國小圖書教師未曾接受圖書館學專業訓練，而圖書館科系畢業者僅佔2.27%❸，參加短期「在職訓練」者也只36%而已，從這個統計數字看來，目前國內的「圖書教師」幾乎全都是「無照營業」的，對圖書館教育的基礎來說，頗為憂慮，且

再也不容忽視了。

我們瞭解，在國民小學圖書館服務的圖書教師，必需具有國民小學教師資格，同時應具圖書館專業訓練，所以，圖書教師的主要來源如下：

㈠師範大學社會教育學系圖書館教育組畢業者。

㈡師範或師專或師院畢業，修習圖書館學二十學分以上者。

㈢大學圖書館學系或教育資料科學系畢業後，考入各師院國小師資科修習結業者。

㈣大學圖書館學系或教育資料科學系畢業後，修習教育學分二十學分以上者。

然而，師範大學為中學師資培育場所，所以師範大學社會教育學系圖書館教育組的畢業生大都到中學去服務，至於師範或師專或師院畢業修習圖書館學分者，到目前為止，寥寥無幾，大學圖書館學系或教育資料科學系畢業後，考入各師院國小師資科修習結業或至師範院校修習教育學分者，亦是鳳毛麟角，所以，目前全國有國小近三千所，其中合格的圖書教師難以聘請，因此，筆者建議：❹

㈠省市立師院設立圖書館教育學系正式培育。

設圖書館教育系之相關課程與學分數50學分（圖書館專業部份，另有教育專業及共同科目）

科　　　目	學分數	科　　　　目	學分數
資料管理	3	圖書館自動化	2
論文寫作	2	圖書館規劃設計	2
圖書館學	2	資訊科學概論	2
專門圖書館	2	圖書館利用教育	4
選擇與採訪	3	非書資料管理	2
中文資料參考服務	6	中文分類及編目	6
西文資料參考服務	6	西文分類及編目	6
學校圖書館行政	2		

㈡如無法設系者，則於省市立師院於初等教學系或社會教育學系內設置圖書館教育組，提供圖書館學二十學分以上之修習。

設圖書館教育組之相關課程與學分數（圖書館專業部份）30學分於初教系(目前設行政組、輔導組及其他)或社教系(目前未分組)設置。

科　　目	學分數	科　　　目	學分數
資料管理	2	圖書館自動化	2
圖書館學	2	資訊科學概論	2
選擇與採訪	2	非書資料管理	2
分類及編目	6	圖書館利用教育	4
中文資料參考服務	6	學校圖書館行政	2

㈢省市立師院於進修部招收大學圖書館學系或教育資料科學系畢業之學生，給予教育學分之修習。

㈣省市立師院於進修部開設圖書館學科目提供在職教師選讀，修滿給予學分證明至於其所需修習之科目與學分暫擬如㈠或㈡表列（可依實際師資及需要增減）

三、以學生數或班級數為基數編列圖書設備經費，充實圖書設備

雖然在國民中小學設備標準中都有圖書基本冊數及編列專款與專款專用之規定❺，奈何各級學校與政府因未重視圖書館之發展，均以地方財政困難為由，未列預算，故圖書之基本數與預算均為零，嚴重影響圖書館教育之發展，如能以學校之班級數或學生數為基數編列，且明定於法律之中，每年依實際班級數或學生數編列，再責以專款專用，則有專業訓練之圖書教師，又有固定預算支應，圖書館教育之發展，將指日以待。

四、撥專款購置個人電腦及相關軟體，供國小圖書館使用

圖書館自動化是世界趨勢所驅，國民中小學不當置身於外，且目前國民中小學圖書館連購書經費都欠缺，自無力購置自動化相關設備，又因省市地方財政艱困，無力負擔，故以中央統籌規，專案補助為宜。

國民中小學圖書館之經營若雨後春筍，如日東升，正此起始之際，方向宜正，倘以中央正確之領導，佐以博學歷練之才，愼密籌劃運帷，予以妥善之規劃指導，目前個人電腦功能強大，價

格低廉，且以個人電腦為主要運作之圖書館作業軟體業已發展問世，亦能以網路連線作業，如能於此起始之際，由教育部統籌一致，以專款專案辦理，以免因各自發展而難以統一，影響未來發展。

五、師院廣設BBS資訊站，實施圖書館輔導

師範大學與師範學院為全國國民中小學師資之培育搖籃，同時擔負輔導各國民中小學之責，圖書館自不例外，然各師範大學與師範學院圖書館本身編制人員甚少，且自身業務繁忙，並無專職輔導人員之編制，而全國國民中小學為數三千餘所，如何分配前往輔導，有僧多粥少之嘆，因此，輔導之事可能形同俱文，難以實現。

如果各國民中小學圖書館都具備個人電腦，同時，各師範大學與師範學院圖書館都設BBS資訊站，從事遠程維護與輔導，一則省師範大學與師範學院圖書館人員奔波之苦，節省館員時間，各國民中小學圖書館相同之疑難亦可一次處理而不需重複運作，二則各國民中小學圖書館的困難可即時解決，不需因學校多而排班等候，以收及時之效。且設置BBS資訊站所費不多，對師範大學與師範學院圖書館來說並非負擔，實為輕而易舉且一舉兩得之事，何樂而不為？

六、各省市教育廳局設置圖書館教育輔導團，縣(市)教育局『國民教育輔導團』內設置『國小圖書館輔導小組』

依據民國七十七年花蓮師院圖書館所作的「台灣省立師範學

院圖書館管理服務專題研究」中「國小圖書教師問卷結果統計」指出，95％的受訪國小圖書教師均表示需要書館學專業訓練的輔導，然而僅4.55％的受訪者表示曾接受輔導團的輔導❻，可見省市國民教育輔導團並未重視此一工作，或市尚未設置『圖書館教育輔導團』，各縣市教育局亦應於已設的『國民教育輔導導團』設置『國小圖書館輔導小組』，從事國小圖書館輔導工作，一來教育局有行政執行權，有命令與考核之權力，易於推展，二則可提供經費之補助與支援或獎勵，更可舉辦校際觀摩或比賽，以提升圖書館教育之功能，進而促進國小圖書館事業之發展。

註　釋

❶　蘇國榮，台北市國民教育輔導團國小圖書館輔導小組簡介，中國圖書館學會會報第36期，頁21—28，民73.12。

❷　蘇國榮，BBS(Electronic Bulletin Board System) 與國小圖書館的網路發展—清江國小圖書作業系統簡介—，中國圖書館學會會報第49期，頁153-168，民81.12。

❸　花蓮師院圖書館研究，台灣省立師範學院圖書館管理服務專題研究(花蓮，撰者，民77)，頁253-254。

❹　教育部中教司主辦，台灣師大承辦，失範校院圖書館自動化規劃及整合發展研討會手冊，頁2-75—2-77 民81.02.頁27-28。

❺　教育部訂定國民小學圖書標準，詳第二次中華民國圖書館年鑑，台北市，中央圖書館，民77，頁457-462 其基數如下表：

國民中學

班級數	圖　書　數	期刊數	報紙數
6　班以下	8000- 9000	15—50	4—8
7—12　班	9000-11400		
13—24　班	11400-16200		
25—36　班	16200-21000		
37—48　班	21000-25800		
49班以上	依比例增加		

國民小學

班級數	圖　書　數	期刊數	報紙數
6　班以下	6000	5	2
7—12　班	6000- 6900	5	3
13—24　班	6900- 8700	10	4
25—36　班	8700-10500	10	5
37—48　班	10500-12300	10	5
49班以上	依比例增加		

❻　同❸，頁257-258。

參 考 文 獻

一、中文書籍

1 王熙元等 ：讀書指導，南嶽出版社，民66。

2.內政部63.2.15頒佈64.6.5.修正之建築技術規則。

3.台北市國民教育輔導團國小圖書館輔導小組編，國民小學圖書館工作手冊（台北市，編者，民74）。

4.台北市國民教育輔導團國中圖書館輔導小組編著，台北市國中學生對圖書館(室)的認識調查研究，台北市教育局，民74。

5.宋平生主持，學校照明設計規範草案之研究，教育部委託中華民國照明學會學術委員會研究，民80.06 pp.145。

6.林金枝，台灣鄉鎮圖書館空間配置，台北市，台灣學生書局，民81。

7.林 勇，兒童圖書館家具及設備之研究，台北市，中國工業職業教育學會，民79。

8.林勤敏撰，學校建築的理論基礎，台北市，五南，民75。

9.花蓮師院圖書館研究，台灣省立師範學院圖書館管理服務專題研究（花蓮，撰者，民77）。

10.洪憶萬，建築藝術表現，台北市，五洲出版社，民60 pp195。

11.洪憶萬，現代建築學，台北市，大中國，民60 pp501。

12.張錦郎編著，中文參考用書指引，台北市，文史哲出版社，民69再版。

13.教育部中教司主辦，台灣師大承辦，師範校院圖書館自動化規劃及整合發展研討會手冊， 民81.02.。

14.教育部國民教育司編，國民小學設備標準，台北市，正中書局，民70。

15.教育部編，中華民國統計(民79年版) ，台北市，編者，民79。

16.中央圖書館編，第二次中華民國圖書館年鑑，台北市，編者，民77。

17.陳政雄，建築設計方法，台北市，東大出版，三民經銷，民67。

18.圖書館自動化作業規劃委員會中國編目規則研訂小組編訂，中國編目規則，台北市，國立中央圖書館，民71。

19.廖季清主持，公立大專院校建築設備之現況調查研究報告，台北市，教育部教育計劃小組編印，民71。

20.漢寶德，建築的精神向度，台中市，境與象出版社，民72六版。

21.輔仁大學圖書館學會編，輔仁大學學生利用圖書館狀況調查報告，民71。

22.蔡保田著，學校建築的理論基礎，台北市，五南，民75。

23.盧秀菊，圖書館建築，台北市，台灣學生書局，台北市，民77。

24.賴永祥編訂，中國圖書分類法，台北市，三民書局總經銷，民78修訂七版。

25.藍乾章撰，圖書館行政(台北市，五南，民71)。

26.蘇國榮著，國民中小學圖書館之經營（台北市，台灣學生書局，民78）。

二、中文期刊

1. 中村明美撰，兒童活動にあける學校圖書館的活用，初等教育資料第459期（1984年4月），頁20-23。

2. 中國圖書館學會第31屆大會暨成立30週年慶祝大會資料。

3. 尤保善撰，兒童圖書館教育的借鏡和企盼，國語日報(民72.8.9)，第三版。

4. 易明克，圖書館內部規劃與細部設計經驗談，台北市立圖書館館訊，V6 No2 p27 77.12.。

5. 林啓清先生在 『電腦通訊站的商業應用』，見第三波，No 108 p.18-23 民80.08.。

6. 施世昌，劉廣亮，小學圖書館規劃：樹林國小實習淺談，圖書館學刊（輔大）No 21 民81.06.。

7. 張慶仁，淺談圖書館的色彩設計問題，書府，No8 p.79-85 76.06。

8. 張慶仁，邁向圖書館建築的環境設計，書府，No10 p.95-108 78.06.。

9. 郭麗玲撰，優良教學法的重要條件：資訊利用，台灣教育第390期（民72.年8月），頁8-16。

10. 黃美姝撰，省時省力光碟機：一片光碟的容量相當於25萬張打字報告（A4影印紙），讓你查起百科全書來更方便，民生報，79.05.06.27版尖端。

11. 吳大猷撰，學術的誠實，民生報，民78.09.12.第5版。

12. 劉貞孜撰，學校圖書館利用教育趣味化，國教月刊 V35N9,10

78.06 p.9—14。

13.蔣篤蒂，圖書館學系圖書室之規劃，書府，No5 p.21-25 73.06。

14.盧秀菊，圖書館策略規劃之研究 圖書館學刊（台大），No5 p67-97 76.11。

15.謝寶煖，圖書館自動化對圖書館建築的影響，書府，No9 p.85-89 77.06。

16.蘇國榮，BBS(Electronic Bulletin Board System) 與國小圖書館的網路發展—清江國小圖書作業系統簡介—，中國圖書館學會會報第49期，頁153-168，民81.12。

17.蘇國榮，台北市國民教育輔導團國小圖書館輔導小組簡介，中國圖書館學會會報第36期，頁21—28，民73.12。

18.蘇國榮著，淺談國民小學圖書館的「參考服務」，台灣教育輔導月刊第35卷7期(民74年7月)，頁17-19。

19.蘇國榮著，淺釋「多媒體教學中心」，台灣教育輔導月刊第33卷9期（民72年9月），頁18-21。

20.蘇國榮撰，台北市教育局國民教育輔導團圖書館教育輔導小組簡介，中國圖書館學會會報第36期(民73年12月)，頁21-27。

21.蘇國榮撰，如何訓練「小小圖書館員」擔任圖書館助理員（上）（下）研習資訊第8卷4,5期頁14-22,15-21 80.8., 80.10.。

22.蘇國榮撰，如何實施閱讀指導，國教月刊第32卷第4 期（民74年6月），頁21-27。

一・西文文獻

1. About METNET:Montana Educational Telecommunications Network [and] Chapter 622, Laws of Montana, 52nd Legislature,1991.

2. Craver, Kathleen W. "The Future of school library media centers: a look at the impact of technology upon library media program development",SCHOOL LIBRARY MEDIA QUARTERIY ,Vol.12 No 4 (summer '84),266-284p.

3. Dumont C. Bunn, Architectural Features of Contemporary Academic Libraries:four case study, The Florida State University PHD ,1989（博士論文）。

4. John E.Burchart etal.,Planning the University Library Building,(ALA,1949) p.63。

5. John E.Burchart etal.,Planning the University Library Building,(ALA,1949) p.63。

6. LARue, James "Sending Them a message:Electyonic Bulletin Boards " Wilson-library-bulletin v60 n10 p30-33 Jun 1986。

7. Natale Joe ,Library building Issue ,Illionis-Libraries, V73 No 7 P.588-651 1991.12。

8. Roger H. Clark & Michael Pause 原著，許麗淑、許尙健譯，建築典例—構形意念之分析與運用，台北市，尙林出版社，民74 pp224

9. Sang-Chul Lee, Planning and Design of Academic Library Building, Columbia University DLS,1985（博士論文）。

10. Tom Wolfe 原著，祝仲華譯，從包浩斯到我們的房子：現代建築的來龍去脈，台北市，尙林出版社，民74 pp269。

11. Watt, R.J. Leo " A Guidebook and Directory for Teacher-librarians on school-based in-serice studies in school librarianship :2 ", Kelvin Grove College of Adveanced Education,Victoria Park Road,Kelvin Grove, 4059,Brisbane,Queensland,Australia,1979。

12. Williams, Gene;Mitchell, Chri6s ，"Seting up a library BBS: a step by step guide "， Wilson-library-bulletin v61 n6 p12-15 79 Feb 1987。

附　錄　一

暫擬國小圖書館利用教育教材綱目簡表

領域	實　施　要　項	教　學　年　級					
		1	2	3	4	5	6
一、圖書館環境的認識	1.認識本校圖書館的位置。	o	o				
	2.認識圖書館內的分區。	o	o				
	3.認識館內的陳設情形。	o	o	o			
	4.認識圖書教師是誰。	o	o	o			
	5.知道甚麼時間來看書。	o	o				
	6.現期兒童期刊的認識。	o	o				
	7.一般圖書的認識。		o	o	o		
	8.錄影帶和幻燈片的認識。		o	o	o		
	9.怎樣與圖書教師和服務同學合作。	o	o	o	o		
	10.社區公共圖書館的認識與利用。			o	o	o	o
	11.社區其他文化機構的認識與利用。				o	o	o
二、讀書的樂趣	1.瞭解讀書的樂趣		o	o			
	2.瞭解閱讀可以增進知識。			o	o		
	3.瞭解讀書可以豐富人生					o	o
	4.瞭解閱讀可以促進社會進步					o	o
	5.瞭解紙、筆、印刷術的發明					o	o
	6.瞭解文化財與圖書的價值。					o	o
三、	1.瞭解圖書的封面和書名。	o	o				

圖書構造的學習	2.知道書名與版權頁。		o	o	o		
	3.瞭解目次的意義。		o	o	o		
	4.瞭解序文和結論的意義。			o	o	o	o
	5.瞭解標題的意義。					o	o
	6.認識與利用索引。				o	o	o
	7.認識與利用註釋和附錄。					o	o
	8.參考書目的認識與利用。					o	o
	9.瞭解插圖與內容的關係。	o	o	o			
四、圖書的維護	1.知道怎樣取書拿書翻書和放書	o	o				
	2.知道不在書上亂塗	o	o				
	3.瞭解怎樣保持圖書的清潔	o	o	o			
	4.看畢圖書小心放回原處	o	o				
	5.不與同學搶閱圖書	o	o				
	6.知道圖書脆弱易破損的原因		o	o			
	7.簡單的圖書修補常識					o	o
	8.瞭解圖書的裝訂					o	o
	9.裝訂的研究與實習					o	o
	10.自製圖書					o	o
五、圖書目錄的認識	1.目錄卡片的認識與利用						
	(1)分類卡片的認識與利用			o	o	o	o
	(2)書名卡片的認識與利用			o	o	o	o
	(3)著者卡片的認識與利用			o	o	o	o
	(4)標題卡片的認識與利用					o	o
	2.書本目錄的認識與利用				o	o	o
	3.聯合目錄的認識與利用					o	o
	4.書單廣告等營業目錄的認識與利用					o	o

六、圖書分類的認識	1.低年級的圖書放在那裡	o	o				
	2.我喜歡的那類書放在那裡	o	o	o			
	3.圖書為甚麼要分類			o	o	o	o	
	4.十大類的認識			o	o	o	o	
	5.本館排架的認識與使用			o	o	o		
	6.甚麼是索書號(書碼)			o	o	o	o	
	7.怎樣依索書號(書碼)找書				o	o	o	
	8.怎樣有系統的閱讀才能增進知識					o	o	
	9.認識圖書分類，可既類求書					o	o	
七、參考書的認識	1.字辭典、百科全書與類書的認識與利用							
	(1) 看圖識字的認識與利用	o	o				
	(2) 節本字典的認識與利用		o	o	o	o	o
	(3) 節本辭典的認識與利用		o	o	o	o	o
	(4) 圖畫百科全書的認識與利用	o	o	o	o		
	(5) 兒童百科全書的認識與利用		o	o	o	o	o
	(6) 青少年百科全書的認識與利用					o	o
	(7) 普通百科全書的認識與利用					o	o
	(8) 專科字辭典的認識與利用					o	o
	(9) 專科百科全書的認識與利用					o	o
	(10) 類書的認識與利用					o	o
	2.年鑑圖鑑的認識與利用						
	(1) 圖鑑的認識與利用	o	o	o	o	o	o
	(2) 利用圖鑑來解決疑難	o	o	o	o	o	o
	(3) 瞭解年鑑的種類及特性			o	o	o	o
	(4) 瞭解各種年鑑的特性以解決疑難				o	o	o
	3.期刊的認識與利用						

		1	2	3	4	5	6
與	(1) 接近期刊	o	o				
	(2) 知道期刊的種類			o	o	o	o
	(3) 瞭解報紙與期刊與學習之關係			o	o	o	o
	(4) 能從報紙期刊蒐集資料並分類整理				o	o	o
利	(5) 能利用蒐集的資料解決學習知困難					o	o
	4.傳記與地理資料的認識與利用。						
	(1) 名人故事與名人傳記的認識與利用。			o	o	o	o
用	(2) 人名與地名辭典的認識與利用。				o	o	o
	(4) 年表的認識與利用。					o	o
	(5) 地圖的認識與利用。			o	o	o	o
	(6) 地理模型的認識與利用。			o	o	o	o
	(7) 地圖集的認識與利用。					o	o
	(8) 人名與地名索引的認識與利用。					o	o
	(9) 能從旅遊指南中查得有關地理與歷史資料。					o	o
	(9) 方志的認識與利用。					o	o
	5.手冊、便覽與指南的認識與利用。						
	(1) 能從手冊概況中知道某一機關團體之情形。					o	o
	(2) 能從便覽中獲知各種事務進行之步驟。						o
	(3) 能從各種指南中習得各種知識並應用於學習。						o
	6.圖片與相片的認識與利用。						
	(1) 風景明信片之蒐集與分類整理				o	o	o
	(2) 期刊中圖片照片之蒐集與分類整理					o	o
	(3) 能將圖片與相片中的知識應用於學習。						o
	7.視聽資料的認識與利用。						
	(1) 電影片與幻燈片的認識與利用。		o	o	o		
	(2) 錄影帶與錄音帶的認識與利用。			o	o	o	o

	(3) 模型地圖設計圖之設計與蒐集				o	o	o
	(4) 縮影微片之認識與利用。					o	o
	(5) 瞭解各種視聽資料的分類編排與利用					o	o
	(6) 幻燈片微片地圖之利用。				o	o	o
	(7) 各種視聽器材之認識與操作					o	o
	8.書目索引摘要之認識與利用。						
	(1) 瞭解書目索引摘要之意義。					o	o
	(2) 瞭解書目索引摘要之編製。					o	o
	(3) 瞭解書目索引摘要之用法。					o	o
	(4) 試編書目索引摘要。						o
	(5) 專書書目索引摘要之利用。						o
八、閱讀衛生	1.瞭解閱讀衛生。						
	(1) 手要洗乾淨。	o	o	o			
	(2) 坐時姿勢要端正	o	o	o			
	(3) 書與眼的距離要適當	o	o	o			
	(4) 不邊吃邊閱讀	o	o	o			
	(5) 不躲在牆角看書	o	o	o			
	(6) 不在太亮太暗的地方看書	o	o	o			
	(7) 保持圖書器具之清潔	o	o	o			
	(8) 不邊走邊看	o	o	o			
	(9) 看有益身心健康的書			o	o	o	o
	2.指導較低年級同學之閱讀衛生習慣。					o	o
	3.瞭解注意閱讀衛生習慣的原因						
	(1) 為自己的健康	o	o				
	(2) 為大家的健康		o	o	o		
	(3) 為公共道德				o	o	o

九、撰寫心得報告	1.有目的的讀書						
	(1) 讀書為解決學習上的困難		o	o	o	o	
	(2) 讀書為滿足自己的需要。		o	o	o	o	
	(3) 讀書是一種有目的的活動				o	o	
	(4) 讀書可以增進知識的領域			o	o	o	
	2.撰寫心得報告						
	(1) 怎樣擷取書中要意		o	o	o	o	
	(2) 書目資料的款目著錄格式				o	o	
	(3) 筆記摘要的撰寫方法			o	o	o	
	(4) 作品發表與評鑑				o	o	
十、建立班級文庫	1.選擇適當的圖書						
	(1) 有趣味能鬆弛精神使心情愉快				o	o	
	(2) 富有豐富的想像且有啓發性				o	o	
	(3) 文筆通順			o	o	o	
	(4) 主題正確思想純正積極				o	o	
	(5) 能擴大知識的領域豐富人生				o	o	
	(6) 印刷精美裝訂精良				o	o	
	2.實施分類編目製作目錄卡片				o	o	
	3.分類排架			o	o	o	
	4.訂定簡單規則			o	o	o	

附　錄　二

國小圖書館利用教育教學活動設計舉例（國語科）

單元名稱	查檢字典的樂趣		教學年班	五年　班	學生人數	人
教材來源	自　　　　編		教學老師	師	教學時間	120 分
教材研究	1. 介紹字辭典的意義、功能及種類 2. 學習利用字辭典 3. 指導選擇適合自己用的字辭典					
學生條件 分　　析	1. 已學過：認識圖書館的環境　圖書的結構　圖書的分類與排架　參考資料 　　的查檢與利用　普通字辭典　參觀社區圖書館 2. 學生對各類型資料之認識已有初步的了解，且有查檢能力。					
教學方法	講述、問答、討論、發表、比賽、視聽教學、自學輔導。					
教學資源	中華兒童叢書「書的家」　各種字辭典					

教	單　元　目　標	具　體　目　標
學	1. 認知方面 　(1) 認識專科字辭典的特性 　(2) 瞭解專科字辭典的種類 　(3) 瞭解專科字辭的內容 2. 技能方面	1-1 能分辨字辭典與一般書的不同 1-2 能說出各種專科辭典在編排、閱讀、 　　 內容等方面的特性 2-1 能說出字辭典種類 3-1 了解專科辭典種類 3-2 能說出專科辭典的性質與內容

目	(4) 增進查檢專科字辭典的能力	4-1 能利用專科辭典查檢自己所要的資料
	(5) 學習各種專科字辭典的使用方法	5-1 能正確的使用專科辭典(使用方法)
	(6) 能藉專科字辭典解答疑難	6-1 能正確判斷用何種字辭典解答何種問
	3.情意方面	題與疑難
	(7) 激發利用圖書館的興趣	7-1 能自動自發隨時利用圖書館
	(8) 培養獨立研究的能力	8-1 能利用圖書館的各型資料
標		8-2 能利用各種社會資源從事學習與研究
	(9) 培養閱讀興趣與習慣	9-1 能享受讀書與閱讀的樂趣

時間分配	節次	月	日	教　學　重　點
	1			專科字辭典的特性、種類及其性質與內容
	2			專科字辭典的用法 (遊戲和比賽)
	3			

教學目標	教　學　活　動	教具	時間	評鑑	備註
	壹·準備活動：			課餘能翻閱字辭典	
	一·課前準備：				
7-1	1.教師方面：				
	(1) 指導學生利用課餘自行到圖書館翻閱字辭典				
	(3) 準備視聽器材與資料				
	2.學生方面：			能仔細參觀圖書館	
	利用課餘自行到圖書館翻閱字辭典				
6-1	二·引起動機：				
	就常用名詞中提出下列各詞	字辭典	5 分	能自字辭典中找出需要的資料	
9-1	1.笙　提琴　　2.滾翻　梯形	閃示板			
	3.南瓜　楊琴　4.菱形　三級跳	生字卡			

1-2 3-1 3-2	三‧決定目的： 　認識字辭典的特性、種類及其性質 　與內容 貳‧發展活動：		2 分	
1-2	一‧說明字辭典的特性	投影片	5 分	能了解字 辭典與一 般書之不
1-1	二‧說明字辭典與一般書不同之處	投影片 一般書籍	3 分	同 能了解各
2-1	三‧介紹各種專科辭典	各種專科辭 典	5 分	種字辭典 的內容
6-1	四‧提出問題，分組查檢 (提音樂體育美術或數學方面之問題)	問題卡	20分	
	————　第　一　節　完　————			
5-1	五‧教師提要說明專科辭典的類別、 　查檢方法、使用時機 六‧實務演練，問題查檢 七‧學生報告查檢方法。	透明片 各種專科辭 典	10分 5 分	能查檢 能報告查 檢方法
	參‧綜合活動： 一‧教師歸納本單元要點 二.遊戲		5 分 20分	
5-2	（1）相聲 　　以各種專科辭典爲主題，由學 　　生自行編詞演出			
5-3	音樂辭典　美術辭典 　　體育辭典　數學辭典 　　動物辭典　植物辭典 　　地理辭典　歷史辭典 　　科技辭典　電腦辭典　　1			
	————　第　二　節　完　———— ————　本　單　元　完　————			

附　錄　三

圖書館利用配合各科（以音樂科為例）教學單元活動設計

單元名稱	母親! 您眞偉大		教學年班	五年甲班	學生人數	40人
教材來源	自　　　　編		教學老師	曾萃芳師	教學時間	120 分
教材研究	1. 本單元以培養查檢資料與使用視聽媒體之能力爲主 2. 本單元歌曲柔美易學，故可由多方面資料接觸及欣賞體認母親的偉大及母愛的可貴					
學生條件 分　　析	1. 「母親! 您眞偉大」是一首易學且通俗的曲子，兒童已耳熟能詳，且能體認母親的偉大及重要性。 2. 學生對各類型資料之認識已有初步的了解，且有查檢能力。					
教學方法	講述、問答、討論、發表、欣賞、視聽教學、自學輔導。					
教學資源	課本、圖書館各類型資料、錄放影機、錄音機、風琴。					

教	單　元　目　標	具　體　目　標
學	1.認知方面 　(1) 理解各種資料的類型 　(2) 明瞭唱歌的基本方法 2.技能方面 　(3) 熟練各種資料的查檢方法	1-1 能正確說出各種資料的名稱 1-2 能解釋各種資料的用途 1-3 能討論各種資料的查檢方法，並說出其分類及排架位置 2-1 能說出換氣的位置和方法 2-2 能用頭聲輕唱，唱出高而和諧的音 3-1 能找到各種資料的位置，並正確取閱 3-2 能比較各種資料並選擇有效的查檢方

目				法
				3-3 能利用目錄卡片查檢所需資料
				3-4 能查到相關資料並正確記錄資料來源
	(4) 增進使用各種視聽器材的能力			3-5 能配合主題，報告正確內容
				4-1 能熟練的操作視聽器材
標	(5) 學會「母親! 您眞偉大」的曲			4-2 能正確的播放所需資料
	譜，並能背唱歌詞			5-1 能視唱「母親! 您眞偉大」的曲譜
				5-2 能背唱「母親! 您眞偉大」的歌詞
				5-3 能離琴唱準「母親! 您眞偉大」的歌
				曲
	3.情意方面			
	(6) 增進對母親辛勞的體認，並激			6-1 能講述母親節的來源及意義
	起對母親感恩的孝意			6-2 能報告母親工作的辛勞及對子女的期
				望
				6-3 能討論祝福的話，及慶祝母親節的方
				法
	(7) 養成樂於利用圖書資料的興趣			7-1 能積極參與討論所要查檢的資料
				7-2 能說出查檢資料的好處

時	節次	月	日	教　　學　　重　　點
間	1			正確習唱「母親! 您眞偉大」之詞曲
分	2			討論資料類型，及查檢方法並整理報告
配	3			視聽器材之操作

教學目標	教　　學　　活　　動	教　具	時間	評　鑑	備　註
	壹・準備活動：				
	一・課前準備：				
	1.教師方面：				
	(1) 研閱並分析本單元內容				
	(2) 蒐集補充教材				
	(3) 準備視聽器材				
	2.學生方面：				
	預習本單元歌曲及有關樂理				

	二・引起動機： 　由母親節的即將來臨，詢問節日的 　由來			2 分	能說出
	三・決定目的： 　學習「母親! 您真偉大」之歌曲				
	貳・發展活動：				
	一・基本練習：	風琴		3 分	已學會
2-1	1.發聲練習	小黑板		3 分	能做到
2-2	2.節奏練習				
	二・復習舊歌 　唱本學期學過的舊歌數首	課本　風琴		4 分	能做到
	三・新歌教學				
	1.由欣賞「母親! 您真偉大」之錄 　　音帶而引起學習興趣	錄音機 錄音帶		2 分	能靜聽
	2.介紹作者及其背景	圖片		3 分	
	3.輔導學生視唱曲譜				
5-1	(1) 用「ㄉㄚ」音唱曲譜	課本　風琴		2 分	能唱出
	(2) 用曲譜各音的唱名(不計拍子)			2 分	
	(3) 輕聲隨琴視唱			3 分	
	4.輔導學生習唱歌詞				
	(1) 討論歌詞及生字	課本		2 分	
	(2) 按節奏朗誦歌詞	課本		2 分	
	(3) 教師範唱歌詞	課本　風琴		1 分	
	(4) 學生試唱歌詞	課本　風琴		2 分	能唱出
5-2	(5) 反覆練習歌詞至能離琴背唱 　　　為止	課本　風琴		3 分	能全體一 起背唱
5-3	四・綜合活動：				
	1.分組演唱「母親! 您真偉大」，並 　　欣賞批評			5 分	大部份能 唱並發表 意見
	2.預告下一節所要查檢之資料，及蒐 　　集有關「母親」之資料		1	1 分	

—— 第 一 節 完 ——

壹・準備活動：
　一・課前準備：
　1.教師方面：
　　(1) 準備各類型資料置於圖書館　　　各種媒體

	(2) 製作教具			
	(3) 準備視聽器材	各種器材琴		
	2.學生方面：			
	(1) 準備應用文具至圖書館			
	(2) 將所查得有關「母親」的資料佈置於圖書館			
	二‧引起動機			
	由學生查檢資料之有限，引起利用圖書館資料之興趣	學生所蒐集之資料	3 分	每組至少一件以上
	三‧決定目的			
	熟悉並樂於查檢資料			
	貳‧發展活動：			
	一‧資料查檢			
6-2	1.提出查檢主題		2 分	
	(1) 學生提出想知道的主題			
	(2) 教師補充	1		
1-1	(3) 討論可用之資料類型			能討論
	2.依資料類型分五組			
3-4	(1) 各組推一人記錄已查得之資料			
3-2	(2) 分組進行查檢並予記錄		15分	能查檢
3-3	3.分組查檢	圖片		
3-1	(1) 各組討論查檢方法			能查到
1-3	(2) 各組討論該類資料分類與排架情形	課本　風琴		
	(3) 進行查檢(教師巡視)			
3-5	二‧報告討論結果		12分	能討論
7-1	1.各組報告			能報告
	(1) 由各組推一人報告結果，並說明查檢方法與資料來源			
7-2	(2) 其他組提出質疑或補充			
	(3) 教師補充或訂正			
	2.教師評鑑與歸納		3 分	
	(1) 查檢方法之評鑑與歸納			
	(2) 查不到的資料予以說明或指示其他途徑			
	參‧綜合活動：			能依資料
	1.整理參考資料媒體是否歸位		5 分	類別歸架

	2.提交查檢記錄，公佈查檢結果		能觀看查
	3.預告下一節活動		檢結果
	────第 二 節 完──── 1		
	壹・準備活動		
	一・課前準備：		
	1.教師方面：準備各種視聽器材		
	2.學生方面：背唱「母親！您真偉大		
	」歌詞，並瞭解各種視聽器材之名		
	稱與操作方法		
	二・引起動機		
	由母親節的前夕，提醒學生體認母	1 分	
	親的辛勞		
	三・決定目的		
	闡揚孝道		
	貳・發展活動		
	一・復習舊歌		
5-3	1.復習「母親！您真偉大」	2 分	能背唱
	2.復習另一首有關母親的歌，	1 分	
	「媽媽的眼睛」		
	二・歌曲欣賞		
	1.播放「媽媽的眼睛」歌曲	5 分	
6-1	2.指名學生就舊經驗中解說歌曲		
	的內容		
6-2	3.學生自由回答自己媽媽眼中常	2 分	
	有的表情		
	三・將「母親！您真偉大」練習的成	錄音機	3 分	
	果錄音、錄影	錄影機		能認真唱
	1.由體會母親的偉大，認真而有	電視攝影機		出
	感情的再唱「母親！您真偉大		
	」，注意表情，同時錄音與錄		
	影		
	2.錄影時注意光線與取景		
	四・視聽器材使用方法介紹		
	1.介紹本單元使用的視聽器材	錄音機	3 分	
	(1)指名學生回答視聽器材之	錄影機		能回答
	名稱及配合之軟體		
	(2)各組討論錄音機的使用法		能討論

(3) 各組討論錄影機的使用法		
2.進行使用		
(1) 各組分別試錄有關母親的	5 分	能錄音
歌或祝福母親的話，作爲		
母親節的禮物		
(2) 教師巡迴各組指導		
(3) 試播錄音成果		能播音
3.欣賞與評鑑		
(1) 各組錄音依次播出，共同	5 分	
欣賞		
(2) 評鑑效果，並說明優缺點		能討論
，及應注意事項		
4.放映錄影帶欣賞並討論得失	10分	
參・綜合活動		
一・播放其他有關「母親」的錄音帶	3 分	能傾聽
與錄影帶，學生靜靜欣賞，並沉		
思用甚麼方法慶祝母親節		
二・學生準備自己的獻禮，於下次上		
課時報告		
─────本 單 元 完─────		

附　錄　四

圖書館流通管理系統架構

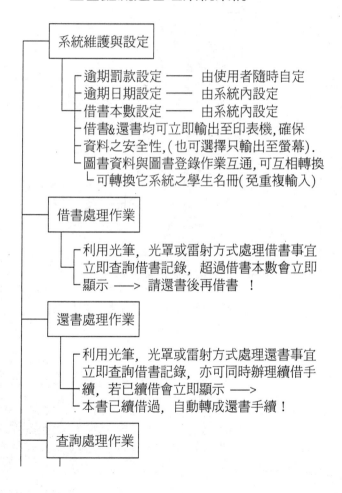

系統維護與設定

┌ 逾期罰款設定 ── 由使用者隨時自定
├ 逾期日期設定 ── 由系統內設定
├ 借書本數設定 ── 由系統內設定
├ 借書&還書均可立即輸出至印表機,確保
├ 資料之安全性,(也可選擇只輸出至螢幕).
├ 圖書資料與圖書登錄作業互通,可互相轉換
└ 可轉換它系統之學生名冊(免重複輸入)

借書處理作業

┌ 利用光筆, 光罩或雷射方式處理借書事宜
├ 立即查詢借書記錄, 超過借書本數會立即
└ 顯示 ──> 請還書後再借書 ！

還書處理作業

┌ 利用光筆, 光罩或雷射方式處理還書事宜
├ 立即查詢借書記錄, 亦可同時辦理續借手
├ 續, 若已續借會立即顯示 ──>
└ 本書已續借過, 自動轉成還書手續！

查詢處理作業

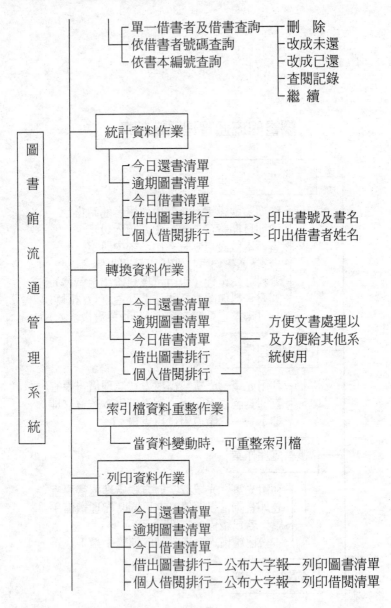

單一借書者及借書查詢 ── 刪　除
依借書者號碼查詢 ── 改成未還
依書本編號查詢 ── 改成已還
── 查閱記錄
── 繼　續

統計資料作業

今日還書清單
逾期圖書清單
今日借書清單
借出圖書排行 ──────> 印出書號及書名
個人借閱排行 ──────> 印出借書者姓名

轉換資料作業

今日還書清單
逾期圖書清單
今日借書清單 ── 方便文書處理以及方便給其他系統使用
借出圖書排行
個人借閱排行

索引檔資料重整作業

當資料變動時，可重整索引檔

列印資料作業

今日還書清單
逾期圖書清單
今日借書清單
借出圖書排行─公布大字報─列印圖書清單
個人借閱排行─公布大字報─列印借閱清單

圖書館流通管理系統

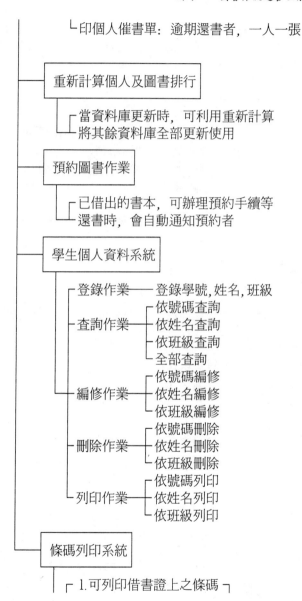

└印個人催書單: 逾期還書者, 一人一張

重新計算個人及圖書排行
　┌當資料庫更新時, 可利用重新計算
　└將其餘資料庫全部更新使用

預約圖書作業
　┌已借出的書本, 可辦理預約手續等
　└還書時, 會自動通知預約者

學生個人資料系統
　┌登錄作業──登錄學號,姓名,班級
　│　　　　　┌依號碼查詢
　├查詢作業─┼依姓名查詢
　│　　　　　├依班級查詢
　│　　　　　└全部查詢
　│　　　　　┌依號碼編修
　├編修作業─┼依姓名編修
　│　　　　　└依班級編修
　│　　　　　┌依號碼刪除
　├刪除作業─┼依姓名刪除
　│　　　　　└依班級刪除
　│　　　　　┌依號碼列印
　└列印作業─┼依姓名列印
　　　　　　　└依班級列印

條碼列印系統
　┌1.可列印借書證上之條碼┐

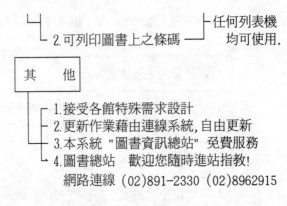

2.可列印圖書上之條碼 —— ├任何列表機
均可使用.

其　　他

1.接受各館特殊需求設計
2.更新作業藉由連線系統, 自由更新
3.本系統 "圖書資訊總站" 免費服務
4.圖書總站　歡迎您隨時進站指教!
網路連線 (02)891-2330 (02)8962915

＊＊＊出 納 系 統 功 能 說 明 表＊＊＊

1.螢幕屬性

黑白／彩色螢幕兩用：

出納系統能依電腦屬性自動控制螢幕的顏色

2.學年度資料庫確認作業

先確認學年度資料是否正確　?

第　[　　]　學年度

第　[　　]　學期

當學年度資料發生錯誤時，會出現以下提示：

提示：[1] 你的系統日期，時間　可能有誤！

[2] 請重新輸入 [　　] 學年度

[3] 請重新輸入 [　　] 學期

[4] 下次進入出納系統前, 請修改好

你的系統日期，時間　！

3.作業部門選擇

提供兩種或多種不同的作業部門，供圖書館選擇使用

　　　[S] 學　生　　　[T] 教職員工

　　或 [S] 學　生　　　[T] 教職員工

　　　[M] 家長及社區人士

4. 逾期罰金選擇

逾期罰金的多寡，可由圖書館自行決定之。使各圖書館更能靈活運用資金

　　逾期一天罰□□.□ 元　　（內定為5.0元）

可選擇是否修定罰款？

　　請輸入密碼：□□□□　（密碼內定四碼）

　　　　　　　M I L K

　　密碼正確方可修定罰金！

5. 印表機選擇

當選擇列印功能項目時，是否將結果送至印表機。如此及使在無印表機時亦可自行控制，不會發生意外

　　[1] 要　（請開印表機）

　　[2] 不要（只輸出到螢幕）

※若選擇 [2]　則所有列印功能只傳送至螢幕

※系統內亦有印表機偵測功能：

　　[1]印表機未打開，請將印表機打開！

　　[2]印表機上沒有報表紙了，請裝報表紙！

6. 主畫面功能選擇

本系統十大功能項：

　　　　【１】借　　書　　　　【６】資料重整

【2】	還　　書	【7】	資料列印
【3】	查　　詢	【8】	重新計算
【4】	統　　計	【9】	預約圖書
【5】	資料轉換	【0】	學生資料

【一】借書處理作業

一借書處理作業

→ 請輸入借書者號碼及書本編號，即可完成借書手續
→ 當書本已有人預約之時，則無法借出本書
　 [預約手續在第九項]
→ 當書本恰是借書者曾預約的書，則將可刪除預約手續
　 再辦理借書手續
→ 同時會告訴借書者，目前所借的書本已達多少本
→ 同時會告訴借書者，目前還可再借多少本書
→ 使用者可以選擇是否要列出借閱記錄

借閱記錄中有借書者已還，未還，以及續借
之書編號

【二】還書處理作業

還書處理作業

→ 請輸入還書者號碼及書本編號，即可完成還書手續
→ 還書手續完成後，會自動列印一份清單
→ 當還書書本已被人預約時，則會告訴使用者何人預
　 約，如此即可通知預約此書的人，前來辦理借書手續

當還書書本已經歸還或尚未借閱時，則會告訴使用者
，請使用者留意書本是否有誤
→ 已借出之書本，亦可在還書時辦理續借手續
→ 借出的書本，已辦理過續借手續者將無法再續借本書
→ 同時會告訴借書者，目前所借的書本已達多少本
→ 同時會告訴借書者，目前還可再借多少本書
└→ 使用者可以選擇是否要列出借閱記錄：

借閱記錄中有借書者已還，未還，以及續借之
書本編號

【三】查詢處理作業

本子系統除了查詢功能外，尚兼具有編修，刪除的功能本
子系統三大功能 ：

1.單一借書者及借書查詢

2.依借書者號碼查詢

3.依書本編號查詢

查詢處理作業

1.單一借書者及借書查詢

→ 請輸入借書者號碼及書本編號，方可查詢
→ 若查無此書，則告訴使用者沒有任何借過此書記錄
→ 若查到此書本，會告訴借書者書本您尚未歸還！
　或書本您已歸還了！

功能項選擇

查詢到書本資料後方會出現此功能
五大功能：
【１】刪　除　　　【４】查閱記錄
【２】改成未還　　【５】繼　續
【３】改成已還

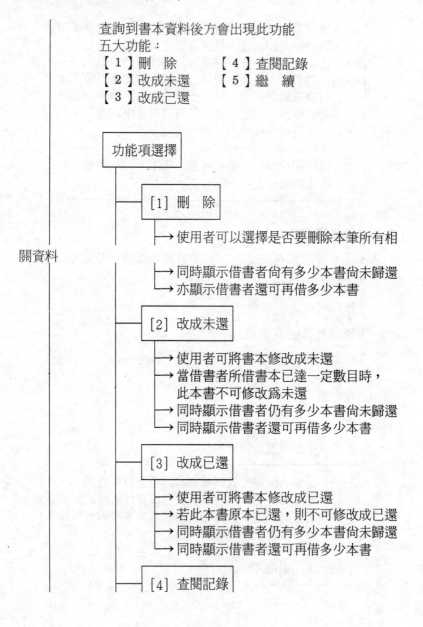

功能項選擇

關資料

[1] 刪　除

→ 使用者可以選擇是否要刪除本筆所有相

→ 同時顯示借書者尚有多少本書尚未歸還
→ 亦顯示借書者還可再借多少本書

[2] 改成未還

→ 使用者可將書本修改成未還
→ 當借書者所借書本已達一定數目時，
　　此本書不可修改爲未還
→ 同時顯示借書者仍有多少本書尚未歸還
→ 同時顯示借書者還可再借多少本書

[3] 改成已還

→ 使用者可將書本修改成已還
→ 若此本書原本已還，則不可修改成已還
→ 同時顯示借書者仍有多少本書尚未歸還
→ 同時顯示借書者還可再借多少本書

[4] 查閱記錄

└→ 螢幕會印出借書者完整的借閱記錄

[5] 繼　續

└→ 借書者可選擇是否要列出借閱記錄

借閱記錄中有借書者已還，未
還，以及續借之書本編號

2.依借書者號碼查詢

└→ 只須輸入借書者號碼，即可查詢
└→ 若無此借書者或借書者尚未借書，會告訴使
用者此借書者目前沒有任何借書記錄！
└→ 若查詢到此借書者，則會顯示借書者仍有多
少本書籍尚未歸還！
└→ 同時會印出借書者完整的借閱記錄：

借閱記錄中有借書者已還，未還，
以及續借之書本編號

3.依書本編號查詢

└→ 只須輸入借書者號碼，即可查詢
└→ 若無此書本或書本尚未借出，會告訴使用者
，此編號的書本目前沒有任何借出記錄！
└→ 若查詢到此本書，則會顯示此本書的資料以
及此本書曾經借出多少次！

【四】統計資料作業

本子系統五大功能：

【１】 今日還書清單　　【４】 借出圖書排行

【２】 逾期圖書清單　　【５】 個人借閱排行

【３】 今日借書清單

統計資料作業

今日還書清單

→ 將當天還書記錄呈現於螢幕，同時轉送至印表機列
印出來若當天沒有還書記錄，則會告訴使用者今日
尚未有還書記錄！

逾期圖書清單

→ 將截至當天為止逾期而未還書者呈現於螢幕，同時
轉送至印表機列印出來

→ 若當天沒有逾期記錄，則會告訴使用者今日尚未有
逾期記錄！

今日借書清單

→ 將當天借書記錄呈現於螢幕，同時轉送至印表機列
印出來

→ 若當天沒有借書記錄，則會告訴使用者今日尚未有
借書記錄！

借出圖書排行

→ 將截至當天為止，將借閱圖書作一份排行表，呈現

於螢幕而且書名會同時出現於螢幕上

└───→ 若沒有借還書記錄，則會告訴使用者尚未有借還書
記錄！

個人借閱排行

├───→ 將截至當天為止，將借閱圖書者作一份排行表，呈
現於螢幕而且學生姓名會同時出現於螢幕上
└───→ 若沒有借還書記錄，則會告訴使用者尚未有借還書
記錄！

※若想將本部份的統計資料列印出來，請選擇第七
項功能

【五】轉換資料作業

本子系統五大功能：

【１】　今日還書清單　　【４】　借出圖書排行

【２】　逾期圖書清單　　【５】　個人借閱排行

【３】　今日借書清單

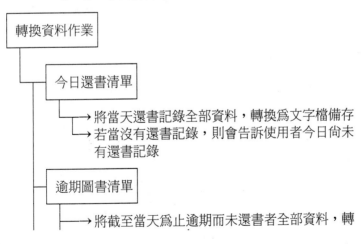

轉換資料作業

今日還書清單

├───→ 將當天還書記錄全部資料，轉換為文字檔備存
└───→ 若當沒有還書記錄，則會告訴使用者今日尚未
有還書記錄

逾期圖書清單

├───→ 將截至當天為止逾期而未還書者全部資料，轉

換為文字檔，

└──→ 若當天沒有逾期記錄，則會告訴使用者今日尚
尚未有逾期記錄！

今日借書清單

├──→ 將當天借書記錄全部資料，轉換為文字檔備存
└──→ 若當天沒有借書記錄，則會告訴使用者今日尚
未有借書記錄！

借出圖書排行

└──→ 將截至當天為止，將所借出的圖書全部資料，
轉換為文字，若沒有借還圖書記錄，則會告訴
使用者尚未有借還圖書記錄！

個人借閱排行

└──→ 將截至當天為止，將借閱圖書者全部資料，轉
換為文字，若沒有借還書記錄，則會告訴使用
者尚未有借還書記錄！

※備存的文字檔，將來方便於查閱記錄

【六】索引檔資料重整作業

請於每天借還書手續完成時，執行索引檔資料重整

則第二天使用者所使用的資料，必定是最新的資料

※當天借還手續完成後，更新索引檔資料是每天必
須的工作

【七】列印資料作業

本子系統五大功能：

【１】　今日還書清單　　　【４】　借出圖書排行

【２】　逾期圖書清單　　　【５】　個人借閱排行

【３】　今日借書清單　　　【６】　印個人催書單

列印資料作業

　　今日還書清單

　　　　→ 將當天還書記錄呈現於螢幕，同時轉送至印表機印出
　　　　→ 若當沒有還書記錄，則會告訴使用者今日尚未有還書記錄！

　　逾期圖書清單

　　　　→ 將截至當天為止逾期而未還書者呈現於螢幕上同時轉送至印表機印出
　　　　→ 若當天沒有逾期記錄，則會告訴使用者今日尚未有逾期記錄！

　　今日借書清單

　　　　→ 將當天借書記錄呈現於螢幕，同時轉送至印表機印出
　　　　→ 若當天沒有借書記錄，則會告訴使用者今日尚未有借書記錄！

　　借出圖書排行

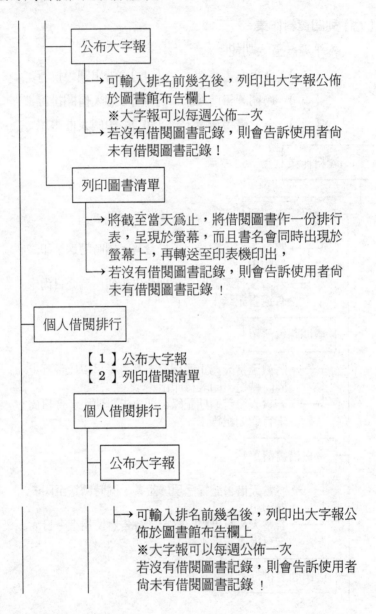

公布大字報

→ 可輸入排名前幾名後，列印出大字報公佈
　 於圖書館布告欄上
　 ※大字報可以每週公佈一次
→ 若沒有借閱圖書記錄，則會告訴使用者尚
　 未有借閱圖書記錄！

列印圖書清單

→ 將截至當天為止，將借閱圖書作一份排行
　 表，呈現於螢幕，而且書名會同時出現於
　 螢幕上，再轉送至印表機印出，
→ 若沒有借閱圖書記錄，則會告訴使用者尚
　 未有借閱圖書記錄！

個人借閱排行

【1】公布大字報
【2】列印借閱清單

個人借閱排行

公布大字報

→ 可輸入排名前幾名後，列印出大字報公
　 佈於圖書館布告欄上
　 ※大字報可以每週公佈一次
　 若沒有借閱圖書記錄，則會告訴使用者
　 尚未有借閱圖書記錄！

列印借閱清單

→ 將截至當天為止，將借閱圖書作一份排
行表，呈現於螢幕，而且書名會同時出
現於螢幕上，再轉送至印表機印出
→ 若沒有借閱圖書記錄，則會告訴使用者
尚未有借閱圖書記錄！

印個人催書單

→ 可將逾期未而還書的借書者，個自列印一份個人催書
單，以方便通知借書者歸還借閱的圖書
→ 列印個人催書單，同時將借書者姓名以及所借的圖書
書名一起列印出來
　※個人催書單包含借書者姓名以及所借的圖書書
　　名，將可方便借書者，而且借書者也知道自
　　己所借的書是那一本書

【八】重新計算個人及圖書排行

當借還書主資料庫，發生變更或自外部系統下作編修，增
刪的工作時，可使用本子系統，本子系統將會自動重新計
算個人及圖書排行，以避免發生主資料庫與索資料檔不符，而
導致資料的流失

※盡可能不要隨便更動借還書主資料庫

【九】預約圖書作業

┌─────────────┐
│ 預約圖書作業 │
└─────────────┘

→ 請輸入借書者號碼及書本編號,即可完成預約手續
→ 若預約的書本已有人預約了,則告訴使用者本書已
　有人預約

【十】學生個人資料系統

本子系統五大功能:

【1】 登　錄　　【4】 刪　除

【2】 查　詢　　【5】 列　印

【3】 編　修

┌───────────────┐
│ 學生個人資料系統 │
└───────────────┘

┌─────────┐
│ 登錄作業 │
└─────────┘

→ 請輸入學生個人編號,學生姓名以及學生班級
　即可完成學生登錄作業
→ 當輸入的學生編號已經輸入存放於資料庫中時
　則會告訴使用者,請重新輸入一個新的編號

┌─────────┐
│ 查詢作業 │
└─────────┘

→ 將截至當天為止逾期而未還書者呈現於螢幕上
　同時轉送至印表機印出
→ 若當天沒有逾期記錄,則會告訴使用者今日尚
　未有逾期記錄!

```
┌─────────┐
│ 查詢作業 │
└─────────┘

本子系統四大功能
　【１】依號碼　　【３】依班級
　【２】依姓名　　【４】查詢全部

      ┌─────────┐
      │ 查詢作業 │
      └─────────┘

          ┌──────────┐
          │ 依號碼查詢 │
          └──────────┘

              → 可輸入學生編號或部份編號查詢
              → 若輸入學生完整編號，將出現一筆學生
                完整資料
              → 若輸入學生部份編號，將出現部份編號
                相同的全讓使用者查詢，直到查詢到爲止

          ┌──────────┐
          │ 依姓名查詢 │
          └──────────┘

              → 可輸入學生姓名或部份姓名查詢
              → 若輸入學生完整姓名，將出現學
                學生姓名完整資料
              → 若輸入學生部份編號，將出現部份
                姓名相同的全部資料讓使用者查詢
                ,直到查詢到爲止

          ┌──────────┐
          │ 依班級查詢 │
          └──────────┘

              → 可輸入學生班級或部份班級查詢
              → 若輸入學生完整班級，將出現一
                筆學生完整資料
              → 若輸入學生部份班級，將出現部
```

份班級相同的全讓使用者查詢，
直到查詢到為止

全部查詢

→ 將全校學生資料，一一顯示於螢幕上讓使
用者查詢，直到查詢到為止

編修作業

本子系統三大功能
【１】依號碼　　　【３】依班級
【２】依姓名

編修作業

依號碼查詢

→ 可輸入學生編號或部份編號查詢，欲
編修那筆資料
→ 若輸入學生完整編號，將出現一筆學
生完整資料
→ 若輸入學生部份編號，將出現部份編
號相同的全部讓使用者查詢，直到查
詢到為止，再編修

依姓名編修

→ 可輸入學生姓名或部份姓名查詢，欲
欲編修那筆資料
→ 若輸入學生完整姓名，將出現一筆學
學生完整資料

└→ 若輸入學生部份編號，將出現部份姓
　　名相同的全部讓使用者查詢，直到查
　　詢到爲止，　再編修

依班級編級

→ 可輸入學生班級或部份班級查詢，欲
　欲編修那筆資料
→ 若輸入學生完整班級，將出現一筆學
　學生完整資料
→ 若輸入學生部份班級，將出現部份班
　級相同的全部資料使用者查詢，直到
　查詢到爲止，再編修

刪除作業

本子系統三大功能
　【１】依號碼　　　【３】依班級
　【２】依姓名

刪除作業

依號碼刪除

→ 可輸入學生編號或部份編號查詢，欲
　編修那筆資料
→ 若輸入學生完整編號，將出現一筆學
　生完整資料
→ 若輸入學生部份編號，將出現部份編號
　相同的全讓使用者查詢，直到查詢到爲止

依姓名刪除

→ 可輸入學生姓名或部份姓名查詢，欲
編修那筆資料
→ 若輸入學生完整編號，將出現學生姓
名現學生姓名完整資料
→ 若輸入學生部份姓名，將出現部份姓名
相同的全讓使用者查詢，直到查詢到為止

依班級刪除

→ 可輸入學生班級或部份班級查詢，欲
編修那筆資
→ 若輸入學生完整班級，將出現一筆學
生完整資料
→ 若輸入學生部份班級，將出現部份班級
相同的全讓使用者查詢，直到查詢到為止

列印作業

本子系統三大功能
【 1 】依號碼　　【 3 】依班級
【 2 】依姓名

列印作業

依號碼刪除

→ 可輸入學生編號或部份編號查詢
→ 若輸入學生完整編號，將出現一筆學
生完整資料
→ 若輸入學生部份編號，將出現部份編

```
┌─ 依姓名列印
│   └─────────────────────────
│       → 可輸入學生姓名或部份姓名列印
│       → 若輸入學生完整姓名，　將出現學生姓名
│         完整資料
│       └→ 若輸入學生部份姓名，將出現部份姓名
│         相同的全讓使用者查詢，直到查詢到為止
│
└─ 依班級列印
    └─────────────────────────
        → 可輸入學生班級或部份班級列印
        → 若輸入學生完整班級，將出現一筆學生
          完整資料
        └→ 若輸入學生部份班級，將出現部份班級
          相同的全讓使用者查詢，直到查詢到為止
```

附　錄　五

國小圖書教師問卷結果統計

	總計 N	百分比 ％
國小總數	2237	100％
發問卷數	448	20％
回收卷數	220	49％

壹、基本資料

1.性別：(1)男　(2)女（國小教師，壹、1）

答案號	N	％
1	102	46.36％
2	116	52.73％
未　答	2	0.91％
合　計	220	100.00％

由統計結果得知，國小圖書教師的男女性別比例爲1：1.14（46.36%：52.73%），差距不大。

2.年齡：

(1)二十四歲以下(2)二十五～二十九歲(3)三十～三十九歲(4)四十～四十九歲(5)五十歲以上（國小教師，壹、2）

答案號	N	%
1	18	8.18％
2	52	23.64％
3	61	27.73％
4	50	22.73％
5	33	15.00％
未　　答	6	2.73％
合　　計	220	100.00％

由調查顯示，29歲以下者佔31.82%（8.18%＋23.64%），而30～49歲者則佔50.46%（27.73%＋22.73%），而50歲以上的圖書教師則佔15%。可知，圖書教師以壯年人佔多數。

3.最高學歷：

⑴碩士以上⑵研究所以上⑶大學畢業⑷專科畢業⑸高中畢業⑹其他（請說明）（國小教師，壹、3）

答案號	N	%
1	0	0.00％
2	2	0.91％
3	34	15.45％
4	170	77.27％
5	10	4.55％
6	2	0.91％
未　　答	2	0.91％
合　　計	220	100.00％

由統計得知，絕大多數教師的最高學歷仍爲專科畢業，比率高達77.27%。大學以上（包括研究所）有16.36%；高中畢業的教師僅佔4.55 %。

4. 圖書館學專業背景：（國小教師，壹、4）

(1)圖書館學科、系、所畢業(2)圖書館學科、系、所肄業(3)圖書館學科、系、所選修(4)在學時選修相關課程，共－－學分(5)在職研習：

(a)一週以下(b)一～三週(c)四～六週(6)未受過圖書館學專業訓練。

答案號	N	%
1	5	2.27％
2	0	0.00％
3	0	0.00％
4	18	8.18％
5	62	28.18％
6	132	60.00％
未　答	3	1.36％
合　計	220	100.00％

4 －(4) 答案號	N	%
1 四學分	2	11.11％
2 三學分	1	5.56％
3 二學分	15	83.33％
未　答	0	0.00％
合　計	18	100.00％

4 －(5) 答案號	N	%
a 一週以下	42	67.74％
b 一～三週	17	27.42％
c 四～六週	3	4.84％
未　答	0	0.00％
合　計	62	100.00％

　　由統計結果得知，過半數的受訪國小圖書教師（60％）未曾受過圖書館學的專業訓練。在修習過有關圖書館學的知識技能的教師中，有62位（28.18％）曾參加「在職研習」。而此種在職研習又以「一週以下」的訓練佔多數，有42位（67.74％）教師填註。週數

愈多的研習，參加人數遞減：一至二週的尚有17位（27.42%）參
加，而四至六週的僅有三人（佔4.84%）參加過。至於選擇「在學
時選修相關課程」的教師，有8.18%的百分率。其中又以修習二學
分的為多，有15位（83.33%）教師，如此得到他們的專業知能。
修過三學分的教師僅有1位（佔5.56%）四學分的教師倒有2位（佔
11.11%）。另外畢業於圖書館科、系、所的圖書教師也有5位（佔
2.27%的比率）。

5.除圖書館工作外，您還兼那些職務？

(1)行政，請說明兼職工作項目：———(2)教學，每週上課
共———節課（國小教師，壹、5）

答案號	N	%
1	13	5.91%
2	111	50.45%
未　　答	96	43.64%
合　　計	220	100.00%

5－(2) 答　案　號	N	%
0－15節課	4	3.60%
16－20節課	7	6.31%
21－25節課	13	11.71%
26－30節課	44	39.66%
31－35節課	25	22.52%
35節課以上	10	9.01%
未　　答	8	7.21%
合　　計	111	100.00%

*此題為單選題，但有87位受訪教師同時填註二答案，故將之列為「未答」。

由統計知，在受訪的圖書教師有111位（佔50.45%）負有教學
的重任。在上課時數方面以每週上課26～30節者為最多，佔39.64
%的比率。其次是上31～35節課（比率佔22.52%），21～25節
者也有11.71%的教師填答。有9.01%的教師每週有35節以上的
課，6.31%的教師有16～20節課，而15節以下的教師佔3.60%。

6.您每週在圖書館的時間約多少？（國小教師，壹、6）

(1)五小時以下(2)六～十小時(3)十一～十五小時(4)十六小時

以上

答案號	N	％
1	142	64.55％
2	50	22.73％
3	8	3.64％
4	3	1.36％
未　答	17	7.73％
合　計	220	100.00％

由統計知，兼職的國小圖書教師每週用於圖書館的時間以五小時以下的佔多數（有64.55%的高比率），其次是花六至十小時在圖書館工作上，比率為22.73%。十一小時以上有5%的教師填答，也有7.73%的教師未答此題。

7.您在圖書館的主要工作內容為：

可複選）(1)圖書選擇與採訪(2)圖書分類與編目(3)參考閱覽(4)流通典藏(5)期刊、報紙、整理(6)行政(7)其他（請說明）（國小教師，壹、7）

答案號	N	％
1	21	9.55％
2	115	52.27％
3	79	35.91％
4	23	10.45％
5	79	35.91％
6	59	26.82％
7	3	1.36％
未　答	19	8.64％
合　計	398	180.91％

由統計知，圖書教師的主要工作以從事「圖書分類與編目」者為最

多，佔52.27%；其次是「參考閱覽」與「期刊、報紙整理」，
各有35.91%的教師填註。有 26.82%的教師選擇「行政」爲其
主要工作；從事「流通典藏」工作的教師佔填答總數的10.45%。
未答此題的教師也佔有8.64%的比例。

8.您擔任貴校圖書館職務有多少年？

⑴一年以下⑵一～二年⑶三～四年⑷五年以上（國小教師，壹、8）

答案號	N	%
1	91	41.36%
2	66	30.00%
3	15	6.82%
4	23	10.45%
未　　答	25	11.36%
合　　計	220	100.00%

由統計知，受訪教師擔任學校圖書館務在一年以下者佔大多數（41.
36%）；一至二年者次之，佔三分之一弱（30%）。五年以上者則
有10.45%，三至四年者有6.82%。此題未答的教師也有高達11.
36%的比率。

9.您是否爲中國圖書館學會會員？

⑴是　⑵否（國小教師，壹、9）

答案號	N	%
1	3	1.36%
2	212	96.36%
未　　答	5	2.27%
合　　計	220	100.00%

有絕大多數的受訪國小圖書教師尚未加入國內圖書館專業組織－中
國圖書館學會爲會員（96.36%的高比率），僅有3位是會員，佔1.
36%。

貳、問卷部份

1.您認爲師院應開發『圖書館學課程』，供國小圖書館教師
　在職選修嗎？

　(1)應該(2)不需要（國小教師，貳，1）

　　（如答"不需要"者，請跳答第4題）

答案號	N	％
1	205	93.18％
2	12	5.45％
未　　答	3	1.36％
合　　計	220	100.00％

在回答的220位國小教師中，93.18%（205人）認爲應該，有12
人（5.45%）表示不需要，而有3人（1.36%）未作答。

2.結業後是否發學分證書，會影響您選修圖書館學課程的意
　願嗎？

　（國小教師，貳、2）(1)會(2)不會

答案號	N	％
1	88	42.31％
2	111	53.37％
未　　答	9	4.32％
合　　計	208	100.00％

在208位回答此題的國小教師中，有過半數（111位，53.37%）
的教師不認爲結業後是否發學分證書會影響他們選修圖書館學課程
的意願。有42.31%的教師則認爲會影響其選課的決定；另有9位（4.
32%）未作答。

3.如果師範學院開授『圖書館學課程』，您願意選修嗎？

（國小教師，貳，3）

(1)願意

您願選修那些課程？（可複選）

(a)圖書館學概論(b)圖書資料的選擇與採購(c)圖書資料的分類與編目(d)小學圖書館經營(e)工具書及資料的提供與利用(f)非書資料管理與利用(g)其他（請說明）

(2)不願意（如答"不願意"者，請跳答第5題）

答案號	N	%
1	190	91.35％
2	13	6.25％
未 答	5	2.40％
合 計	208	100.00％

3－(1) 答 案 號	N	%
a	70	36.84％
b	90	47.37％
c	135	71.05％
d	157	82.63％
e	100	52.63％
f	66	34.21％
g	1	0.53％
未 答	0	0.00％
合 計	618	325.26％

在208位國小教師中，有190人（91.35%）表示願意選修此課程，13人（6.25%）表示不願意，有5人（2.40%）未作答。

在190位願意選修的教師中，有157位（82.63%）願選「小學圖書館經營」，此爲六項列出課程名稱中最受歡迎者。其次是「圖書資料的分類與編目」，有135位（71.05%）願意選修。第三受歡迎的課程是「工具書及資料的提供與利用」，有100位（52.63%）的教師願選修。接下來依次是「圖書資料的選擇與採訪」、「圖書館學概論」、及「非書資料管理與利用」，分別有90位（47.37%）、70位（36.84%）及65位（34.21%）教師願選修。

4.您覺得選修課程開於何時為宜？（可複選）（國小教師，
　貳、4）

(1)寒假(2)暑假(3)週六或週日(4)夜間(5)其他（請說明）

答案號	N	%
1	40	18.18％
2	143	65.00％
3	22	10.00％
4	10	4.55％
5	12	5.45％
未　　答	31	14.09％
合　　計	258	117.27％

在220位國小教師的回答中，有143位（65%）教師認為開在暑假
為宜。次多的是寒假，有18.18%（40位）的教師選擇。有22位
（10%）教師認為週六或週日是適宜開選修課程的時間；至於夜間，
則有4.55%（10位）的教師認為合宜。

5.您需要師院對貴校圖書館提供輔導服務嗎？（國小教師，
　貳、5）

(1)需　要

　　需要輔導項目為：（可複選）

　　　(a)圖書資料的選擇與採購(b)圖書資料的分類與編目(c)
　　　圖書資料的借、還業務處理(d)工具書及資料的提供與
　　　利用(e)小學生利用圖書館之教學(f)小學圖書館推廣服
　　　務(g)非書資料管理與利用(h)其他（請說明）

(2)不需要

答案號	N	%
1	201	91.36％
2	11	5.00％
未　答	8	3.64％
合　計	220	100.00％

5－(1) 答　案　號	N	%
a	90	44.78％
b	148	73.63％
c	107	53.23％
d	90	44.78％
e	143	71.14％
f	77	38.31％
g	48	23.88％
h	1	0.50％
未　答	0	0.00％
合　計	704	350.25％

有91.36％的國小教師表示需要師院來輔導國小圖書館；僅有5％持反對意見。在需要輔導的教師中，有73.63％希望得到在圖書資料的分類與編目方面的指導；「小學生利用圖書館之教學」是另一高票（71.14％）當選的輔導項目。「圖書資料的借、還業處理」得到53.23％的教師青睞；「圖書資料的選擇與採訪」和「工具書及資料的提供與利用」平分秋色，得到44.78％的教師支持。此外，分別有38.31％及23.88％的教師希望接受「小學圖書館推廣服務」與「非書資料管理及利用」這二項目的幫助。

6. 曾有「輔導團」至貴校輔導圖書館業務嗎？（國小教師，貳、6）

　　(1)有(2)沒有

答案號	N	%
1	10	4.55％
2	207	94.09％
未　答	3	1.36％
合　計	220	100.00％

絕大多數（94.09％）的教師表示未曾見到輔導團至其所服務的國
小圖書館輔導。

7.您認為有設立「示範國小圖書館」的必要嗎？（國小教師，貳、7）

(1)有

設於何處為宜？

(a)師院實子(b)附設於師院圖書館(c)一鄉鎮設一所(d)二
鄉鎮共設一所(e)其他（請說明）

(2)無此必要

答案號	N	％
1	190	86.36％
2	29	13.18％
未　答	1	0.45％
合　計	220	100.00％

7 －(1) 答　案　號	N	％
a	20	10.53％
b	18	9.47％
c	129	67.90％
d	13	6.84％
e	8	4.21％
未　答	2	1.05％
合　計	190	100.00％

有86.36％的國小教師認為有設立「示範國小圖書館」的必要；認
為不需要者僅有 13.18％。在認為有必要如此做的教師中，有67.9
％表示一鄉鎮設一所最合適；第二處可考慮的場所是師院實小（有
10.53％的教師如此認為），其次才是附設於師院圖書館中（有9.
47％）。僅有6.84％的教師贊同二鄉鎮共設一所「示範國小圖書
館」。

8.如果師範學院開授圖書館學方面的短期研習課程，您願意
參加嗎？（國小教師，貳、8）

(1)願　意

您希望參加的課程是：（可複選）

(a)圖書館學概論(b)圖書資料的選擇與採購(c)圖書資料的分類與編目(d)小學圖書館經營(e)工具書及資料的提供與利用(f)非書資料管理與利用(g)其他（請說明）

(2)不願意（如答"不願意"者，請跳答第11題）

答案號	N	%
1	183	83.18％
2	19	8.64％
未　答	18	8.18％
合　計	220	100.00％

8－(1) 答　案　號	N	%
a	54	29.51％
b	86	46.99％
c	128	69.95％
d	149	81.42％
e	94	51.37％
f	51	27.87％
g	3	1.64％
未　答	0	0.00％
合　計	565	308.75％

在220位教師的回答中，有183人（83.18％）表示願意參加短期研習，另有19人（8.64％）表示不願意，18人（8.18％）未作答。在183位表示願意參加的教師中，最受矚目的課程是「小學圖書館經營」，有149位教師（81.42％）願參加。其次是「圖書資料的分類與編目」，有128位教師（69.95％）願參加。第三是「工具書及資料的提供與利用」，有過半數（51.37％）的教師願參加。「圖書資料的選擇與採購」、「圖書館學概論」及「非書資料管理與利用」分別有86位（46.99％）、54位（29.51％）及51位（27.87％）教師願參加。

9.您認為短期研習在何時舉辦較宜？（國小教師，貳、9）

(1)寒假(2)暑假(3)正常上課時間(4)週六下午或週日(5)其他（請說明）

答案號	N	%
1	80	39.80％
2	22	10.95％
3	52	25.87％
4	8	3.98％
5	6	2.99％
未　答	33	16.41％
合　計	201	100.00％

在201位回答此題的國小教師中，有39.80％（80位）認為暑假期間較適宜舉辦短期研習。有四分之一強（25.87％）的教師選擇正常上課時間為合適時段；認為寒假是合適時段的教師有22位（10.95％），願意在週末下午及週日參加短期研習者僅8位（3.98％）而已。

10.您認為短期研習，受訓時間應以多久為宜？（國小教師，貳、10）

(1)一週以下(2)一～三週(3)四～六週

答案號	N	%
1	56	27.86％
2	93	46.27％
3	33	16.42％
未　答	19	9.45％
合　計	201	100.00％

在201位回答此題的教師中，有46.27％（93位）表示一～三週為合宜時限。有56位（27.86％）則認為一週以下為合適時限，選擇四至六週有33位教師，佔填答總數的16.42％。有19人（9.45％）未作答此題。

11.您目前的圖書館工作面臨那些問題？（國小教師，貳、11）

本題為一開放式問題，在各式的回答中，有關課程方面者綜合如下：

*分類編目因專業知識不足，困難重重。　　　　36人

*專業人員太少，應辦研習。　　　　　　　　　31人

*缺乏專業知識，急需進修。　　　　　　　　　18人

*請增專業館員。　　　　　　　　　　　　　　15人

*如何充實館藏。　　　　　　　　　　　　　　10人

*請協助利用教育之教學。　　　　　　　　　　 8人

*非書資料管理困難。　　　　　　　　　　　　 5人

*請師院授「圖書館學課程」使畢業後能擔任斯職。 5人

*如何管理與整理圖書。　　　　　　　　　　　 3人

*參加研習返校之教師，應予實習機會。　　　　 2人

合計共115人次

附　錄　六

開設圖書館學課程調查結果分析與建議

一、調查結果暨分析

(一)調查結果

1.如果貴院開設「小學圖書館管理服務」之類的課程，供同學選修，您認為：

(1)很有必要(2)有必要(3)沒有必要(4)無意見（學生，62）

答案號	N	%	N	%
1	81	19.52%	69	10.75%
2	232	55.90%	335	52.18%
3	26	6.27%	86	13.40%
4	70	16.87%	146	22.43%
未　答	6	1.45%	8	1.25%
合　計	415	100.00%	642	100.00%

回答的415位學生抽樣中，有81人（19.52%）表示「很有必要」，232人（55.90%）認為「有必要」開設此類課程，二者合計有75.92%的高比率。在642位大一學生中，則有69人（10.75%）認為「很有必要」，335人（52.18%）表示「有必要」，二者合計比率達62.93%。有26位（6.27%）的學生抽樣及86位（13.40%）的大一學生認為沒有必要開設此類課程。表示「無意見」的學生抽樣有70人（佔16.87%），大一學生有144人（22.43%）。有6位學生抽樣（1.45%）及8位大一學生（1.25%）未作答此題。

2.您認為師院應開「圖書館學」方面的課程嗎？（教師，59）

(1)應該(2)無意見(3)不應該

答案號	教　師	
	N	%
1	49	54.44%
2	35	38.89%
3	4	4.44%
未　答	2	2.22%
合　計	90	100.00%

在回答的90位教師中，有49人（54.44%）認為應該開設此類課程，有35人（38.89%）表示無意見；僅有4人（4.44%）認為不應該。另有2人（2.22%）未作答。

3.您認為師院應開授「圖書館學課程」，供國小圖書館教師在職選修嗎？

(1)應該(2)不需要（國小教師，貳，1）

（如答「不需要」者，請跳答第4題）

答案號	國小教師	
	N	%
1	205	93.18%
2	12	5.45%
未　答	3	1.36%
合　計	220	100.00%

在回答的220位國小教師中，有205人（93.18%）認為應該，有12人（5.45%）表示不需要，而有3人（1.36%）未作答。

4.結業後是否發學分證書，會影響您選修圖書館學課程的意願嗎？

(1)會(2)不會（國小教師，貳，2）

答案號	國小教師 N	%
1	88	42.31％
2	111	53.37％
未　答	9	4.32％
合　計	208	100.00％

在208位回答此題的國小教師中，有過半數（111位，53.37％）的教師不認為結業後是否發學分證書會影響他們選修圖書館學課程的意願。有42.31％的教師則認為會影響其選課的決定；另有9位（4.32％）未作答。

5.如果師範學院開授「圖書館學課程」，您願意選修嗎？

（國小教師，貳，3）

(1)願意，您願選修那些課程？（可複選）

(a)圖書館學概論(b)圖書資料的選擇與採購(c)圖書資料的分類與編目(d)小學圖書館經營(e)工具書及資料的提供與利用(f)非書資料管理與利用(g)其他（說明）

(2)不願意（如答「不願意」者，請跳答第5題）

答案號	國小教師 N	%
1	190	91.35％
2	13	6.25％
未　答	5	2.40％
合　計	208	100.00％

5 －(1) 答　案　號	國小教師 N	%
a	70	36.84％
b	90	47.37％
c	135	71.05％
d	157	82.63％
e	100	52.63％

	f	65	34.21%
	g	1	0.53%
未 答		0	0.00%
合 計		618	325.26%

在208位國小教師中,有109人(91.35%)表示願意選修此課程,13人(6.25%)表示不願意,有5人(2.40%)未作答。

在190位願意選修的教師中,有157位(82.63%)願選「小學圖書館經營」,此為六項列出課程名稱中最受歡迎者。其次是「圖書資料的分類與編目」,有135位(71.05%)願意選修。第三受歡迎的課程是「工具書及資料的提供與利用」,有100位(52.63%)的教師願選修。接下來依次是「圖書資料的選擇與採訪」、「圖書館學概論」、及「非書資料管理與利用」,分別有90位(47.37%)、70位(36.84%)及65位(34.21%)教師願選修。

6.您覺得選修課程開於何時為宜?(可複選)(國小教師,貳,4)

(1)寒假(2)暑假(3)週六或週日(4)夜間(5)其他(請說明)

答案號	國小教師 N	%
1	40	18.18%
2	143	65.00%
3	22	10.00%
4	10	4.55%
5	12	5.45%
未 答	31	14.09%
合 計	258	117.27%

在220位國小教師的回答中,有143位(65%)教師認為開在暑假為宜。次多的是寒假,有18.18%(40位)的教師選擇。有22位(10%)教師認為週六或週日是適宜開選修課程的時間;至於夜間,則有4.55%(10位)的教師認為合宜。

7.如果師範學院開授圖書館學方面的短期研習課程，您願意
參加嗎？（國小教師，貳，8）

(1)願意，您希望參加的課程是：

(a)圖書館學概論(b)圖書資料的選擇與採購(c)圖書資料的
分類與編目(d)小學圖書館經營(e)工具書及資料的提供與
利用(f)非書資料管理與利用(g)其他（請說明）

(2)不願意（如答「不願意」者，請跳答第11題）

答案號	國小教師 N	%
1	183	83.18％
2	19	8.64％
未　　答	18	8.18％
合　　計	220	100.00％

7 —(1) 答　案　號	國小教師 N	%
a	54	29.51％
b	86	46.99％
c	128	69.95％
d	149	81.42％
e	94	51.37％
f	51	27.87％
g	3	1.64％
未　　答	0	0.00％
合　　計	565	308.75％

在220位教師的回答中，有183人（83.18％）表示願意參加短期
研習，另有19人（8.64％）表示不願意，18人（8.18％）未作
答。

在183位表示願意參加的教師中，最受矚目的課程是「小學圖書館
經營」，有149位教師（81.42％）願參加。其次是「圖書資料的
分類與編目」，有128位教師（69.95％）願參加。第三是「工具
書及資料的提供與利用」，有過半數（51.37％）的教師願參加。
「圖書資料的選擇與採購」、「圖書館學概論」及「非書資料管理
與利用」分別有86位（46.99％）、54位（29.51％）及51位
（27.87％）教師願參加。

8.您認為短期研習在何時舉辦較宜？（國小教師，貳，9）

(1)寒假(2)暑假(3)正常上課時間(4)週六下午或週日(5)其他（請說明）

答案號	國小教師 N	%
1	80	39.80％
2	22	10.95％
3	52	25.87％
4	8	3.98％
5	6	2.99％
未　答	33	16.41％
合　計	201	100.00％

在201位回答此題的國小教師中，有80位（39.80％）認為暑假期間較適宜舉辦短期研習。有四分之一強（25.87％）的教師選擇正常上課時間為合適時段；認為寒假是合適時段的教師有22位（10.95％），願意在週末下午及週日參加短期研習者僅8位（3.98％）而已。

9.您認為短期研習，受訓時間應以多久為宜？（國小教師，貳，10）

(1)一週以下(2)一～三週(3)四～六週

答案號	國小教師 N	%
1	56	27.86％
2	93	46.27％
3	33	16.42％
未　答	19	9.45％
合　計	201	100.00％

在201位回答此題的教師中，有46.27%（93位）表示一～三週為
合宜時限。有56位（27.86%）則認為一週以下為合適時限，選擇
四至六週有33位教師，佔填答總數的16.42%。有19人（9.45%）
未作答此題。

10.您目前的圖書館工作面臨那些問題？（國小教師，貳，11）

　　本題為一開放式問題，在各式的回答中，有關課程方面者
　　綜合如下：

*分類編目因專業知識不足，困難重重。	36人
*專業人員太少，應辦研習。	31人
*缺乏專業知識，急需進修。	18人
*請增專業館員。	15人
*如何充實館藏。	10人
*請協助利用教育之教學。	8人
*非書資料管理困難。	5人
*請師院授「圖書館學課程」使畢業後能擔任斯職。	5人
*如何管理與整理圖書。	3人
*參加研習返校之教師，應予實習機會。	2人

合計共115人次

(二)分　析

　　依據「國民小學設備標準」中「圖書設備標準」的規定：
「國民小學不論其規模大小、班級多寡，均應設置圖書室或圖書
館」。又，「各校應由校長指派『圖書教師』若干人，協同處理
館物」及「圖書教師應接受圖書館專業訓練」❶。由此可知，每

一國小均設有「圖書教師」的職稱，且必須接受圖書館學的專業訓練。

在目前的國情下，師院是唯一培養國小各式師資的搖籃，這也應包括圖書教師的養成，而圖書教師與非圖書教師的區別即在於是否接受專業訓練；但是，「專業訓練」在「國民小學設備標準」中並未明文規定涵義。因此，訓練的內容多寡、時限長短就隨設有訓練的處所而有不同，例如普通大專圖書館學研究所、系、科、組與師院（專）便有異。在師院現有的環境中，若要勉稱提供了「專業訓練」的機會，至少應當有一門「小學圖書館學」這樣的課程才可。事實上，在還是師專時，的確是有「小學圖書館學」這門課，使學生選修。一般而言，選修情形尚可。不過，改制後，在擬定師院課程時，就不見此課蹤跡了。甚至，於民國七十七年五、六月間討論修訂暫行的師院課程時，也未被補列入新設計中，此真是國小圖書教師的大不幸。

就師院是否應該開設「小學圖書館學」方面的課程向師院教師請教時（教師，59），師院教師有過半數（54.44％）均認為「應該」，僅有4.44％的教師（4位）表示「不應該」。當徵詢學生們選修此類課程的意願時（學生，62），不論學生抽樣或大一學生均以過半數的比率（依次為75.92％及62.93％）表示支持。由此可知，在師院中開設有關「小學圖書館學（或管理服務）」課程的需求是存的。

除了瞭解師院的教師、學生對圖書館學專業訓練的意見外，如今在國小服務的「圖書教師」也接受相同的請益（國小教師，貳，1）。幾乎全數的受訪國小教師（比率高達93.18％）均表示

師院應該開授圖書館學課程，供他們在職選修。他們的需求代表二層意義：其一是間接反應「小學圖書館學」的課程在師資養成時期仍應繼續維持；其二是直接反應他們對經營小學圖書館的知識技能尚待加強。下面將討論師院對目前在職的國小圖書教師需提供的服務。

由國小教師的圖書館學專業背景（國小教師，壹，4）的統計得知，有過半數（60％）未曾受過專業訓練。在受過專業訓練的85位教師中，有四分之一強（28.18％）的教師是經由「在職研習」而得到工作所需的專業知能。再觀察國小教師問卷基本資料第4、5題的統計，可知這些專業知能多半由參加一週以下的研習中獲得（比率是67.74％）。參加一至二週研習的教師僅佔27.42％，參加四至六週的研習者更屬寥寥無幾，只有3位（佔4.84％）。另外，有8.18％的教師曾在就學時修習過相關課程；然而，其中也以獲得2學分者爲多（佔83.33％）。

事實上，圖書館的業務是多面且瑣碎的，在接受指導後較易得處理的要領。而一週以下的研習僅能對某方面的工作有較深的認識或對所有的業務有粗淺的了解。這對需要獨當一面、全盤經營的國小圖書教師而言，是不足所需的。而修過二學分「小學圖書館學」的教師，至少在理論上稍微佔些上風。但是，由於此門課程通常安排在五年級的下學期開授，供即將畢業的準老師們選修。而五下時，學生們有一個月的教學實習（試教），加上提前結束修習時限（僅有10週上課的機會），要透澈了解小學圖書館的管理服務，可說是「先天不足，後天失調」。難怪有不少填寫國小問卷第貳項第11題的教師們不約而同地指出，專業知能不足

是他們目前工作上的最大的困難（20條中有一半與專業訓練有關）。

　　如此的說明，應足以證明國小教師極願參加「在職選修」是事出有因，有91.35％的教師願選修「圖書館學課程」及83.18％的教師願參加有關圖書館學的短期研習（見國小教師，貳，6、8）。同時，有過半數的教師（53.37％）欲選修此類課程的意願也很堅決。在選修完畢時是否會頒發學分證書並不會影響他們選修的決定（見國小教師，貳2）。

　　在職國小圖書教師之專業訓練可經不同途徑而得，在師院方面，便可有二法：一是提供較長時期且給予學分的正式課程，另一是舉辦短期的、重點式的研習。當請問願參加的教師們何時開授課程為宜（國小教師，貳、7）時，過半數（65％）認為暑假期間較合適，少部份願在寒假或每週六、日（18.18％與10％）前來學習。短期訓練也以安排於暑假時（國小教師，貳，9）最受青睞，有39.80％的教師如此認為。第二優先是在平時上課時間（即學期中），有25.87％的教師選擇此項；其次是在寒假（10.95％），而週六下午及週日僅得到3.98％的教師首肯。由此可知，暑假這段沒有教學壓力的時期最受教師們歡迎，願善加使用。另外，有近半數（46.27％）願參加短期研習的教師們指出，受訓時間以一至三週為宜（國小教師，貳，10），較一週以下（27.86％）與四至六週（16.42％）的總和（44.28％）尚多。

　　在請願選修課程或參加研習的教師們選擇希望得到圖書館那些方面的知能時（國小教師，貳，6、8），二者的看法一致，均指出「小學圖書館經營」為第一優先（比率分別為82.63％與81.49％），「圖書資料的分類與編目」次之（比率為71.05％及69.

95％）。第三至第六依序為「工具書及資料的提供與利用」（52.63％和51.37％）、「圖書資料的選擇與採購」（47.37％與46.99％）、「圖書館學概」（36.84％與29.51％）及「非書資料管理與利用」（34.21％與27.87％）。

二、結論與建議

依據前項的分析、整理，在課程方面，有如下之特點：

㈠過半數的師院教師與近全數的國小教師均支持師院開設「小學圖書館」等課程。

㈡絕大多數國小圖書教師願參加師院為其開設的在職進修或訓練等課程。

因此，謹建議：

㈠在師院內繼續開設「小學圖書館管理服務」之類的課程。

前已述及，「小學圖書館學」在師專時代是一門開於五年級第二學期內的選修課。自改制成師院後，卻在新課程設計中消失了芳蹤。謹建議有關當局，重新考慮將此課列入師院課程，且將其安置在三年級以下的任何學期中，俾使授課時數不受試教及提早結束學期的影響，保證學生有較為完整的學習，使未來的國小圖書教師能較得心應手地經營小學圖書館。不過，僅有一門「小學圖書館管理服務」的課程是不能達到「專業訓練」的要求的，真正地「專業訓練」必須至少要修滿二十個學分。謹將教育部頒佈的「高中圖書館主任」應有的專業訓練標準置於附註中❷，以供參考。而受訪的師院教師、學生、國小教師均表示有必要或應該開設「小學圖書館管理服務」方面的課程，可見實際上亦有此

需求，應當繼續提供機會。

　　㈡開設「小學圖書館管理服務」課程以供選修或研習：

　　由前面的分析，得知目前在職的國小圖書教師常因自身的專業知能不足，在工作上遭遇各式的困難。處於輔導地位的師院，治標之法可藉實習輔導室對於需要的國小，提供一時之助，以解燃眉之急。而治本之法則可採開設課程或短期研習的方式，供國小教師們進修，以期自助。依據調查，國小教師們進修的意願均很高，包括選修課程及參加研習。另外，也有多位教師在開放式問題中，以文字表示希望師院協助他們獲得此方面的知能。至於進修的季節，暑期無教學壓力時最合適。另外短期的研習則以三週為宜，較能在理論及實務上紮根。

註　釋

❶　詳教育部國民教育司編、修訂國民小學設備標準，（台北：正中，民70），頁91。

❷　詳教育部74、11、13台（74）中字第50626號函。

謹摘錄建議開授課程及學分數如下：

*圖書館學	2學分
*資訊科學概論	2學分
*學校圖書館	2學分
*圖書分類與編目	4學分
*中文或西文參考資料	4學分
*圖書選擇與採訪	2或3學分
*資料管理或非書資料或視聽教育	2學分

索　　引

西文部份

中文資料索引

一　畫

二　畫

三　畫

七　畫

八　畫

九　畫

十　畫

十 二 畫

十　三　畫

十　五　畫

十　六　畫

二　十　四　畫

二　十　七　畫

國家圖書館出版品預行編目資料

國民小學圖書館利用教育與輔導
／蘇國榮著. --初版. --臺北市：
臺灣學生，民85
面；　　公分
參考書目：面

ISBN 957-15-0784-9(精裝).
ISBN 957-15-0785-7(平裝)

1.學校圖書館　2.圖書館利用－教育

024.6　　　　　　　　　　　　　　　85011077

國民小學圖書館利用教育與輔導(全一冊)

著 作 者：蘇　　　　國　　　　榮
出 版 者：臺　灣　學　生　書　局
發 行 人：丁　　　　文　　　　治
發 行 所：臺　灣　學　生　書　局
　　　　　臺北市和平東路一段一九八號
　　　　　郵政劃撥帳號〇〇〇二四六六八號
　　　　　電　話：三　六　三　四　一　五　六
　　　　　傳　眞：三　六　三　六　三　三　四
本書局登
記證字號：行政院新聞局局版臺業字第一一〇〇號
印 刷 所：常　新　印　刷　有　限　公　司
　　　　　地址：板橋市翠華街 8 巷 13 號
　　　　　電話：九　五　二　四　二　一　九
定價　精裝新臺幣三三〇元
　　　平裝新臺幣二六〇元

中 華 民 國 八 十 五 年 十 月 初 版

02406　　　版權所有‧翻印必究
ISBN　957-15-0784-9（精裝）
ISBN　957-15-0785-7（平裝）

臺灣學生書局出版

圖書館學與資訊科學叢書

圖書館學類圖書

臺灣學生書局出版

圖書館學小叢書

①資訊檢索　　　　　　　　　　　　　　黃　慕　萱　著
②非書資料管理—圖書館多媒體
　資料的管理與經營　　　　　　　　　　朱　則　剛　著